14歳の
WORLDLY WISDOM FOR 14 YEARS OLD
世渡り術

# 科学者になりたい君へ

佐藤勝彦

河出書房新社

科学者になりたい君へ　もくじ

## 第1章

## 第2章 大学・大学院で何を身につけるか

## 第4章 科学者をどう育てるか

## 第5章

# 21世紀の科学者のために 157

## COLUMN

# はじめに

## 初めての海外旅行でデンマークの研究所に赴任《ふにん》

今から40年以上前の、１９７９年6月の夕方。当時33歳《さい》だった私の乗った飛行機は、北欧《ほくおう》デンマークの首都コペンハーゲンの近郊《きんこう》にあるカストラップ空港に到着《とうちゃく》しました。入国審査《しんさ》を終えて、リムジンバスでコペンハーゲン中央駅に向かいました。

私はこの日の午前、成田空港から生まれて初めて飛行機に乗り、初めての海外旅行に出ていました。それは、コペンハーゲンにある「北欧理論物理学研究所（NORDITA《ノルディタ》）」から客員教授（臨時に雇用《こよう》された非常勤の教授）として招かれ、この地で1年間研究をするためでした。

成田からモスクワ経由でコペンハーゲンまで、16時間ほどかかったでしょうか。日本ならすでに深夜ですが、時差のために現地に着いたのは夕刻でした。夏至のころで、しかもコペンハーゲンは北緯《ほくい》55度に位置しているので、日没《にちぼつ》が現地時間の22時くらいと遅《おそ》く、夕陽がとてもまぶしく感じられました。時差ぼけの影響《えいきょう》でぼんやりした私の目に、バスの窓の外の異国の景色が飛び込《こ》んできました。煙突《えんとつ》の突《つ》き出た赤い屋根の家々。板塀《いたべい》で囲まれた赤レンガづくりの農家の家。それは子どものころに読んだアンデルセンの童話の絵本に描《えが》かれていた風景そのままで、自分が童話の世界にまぎれこんだような気分になったのをおぼえています。

私は当時、京都大学理学部で助手（現在の助教）として働いていました。今は大学院生でさえ、所属する研究室のお金で国際会議に出席したり海外の大学を訪問したりできる時代です。でもそのころは、国から大学に支給される研究費を使って海外出張することは許されていませんでした。私もそれまで何度か国際会議に招待されていましたが、自腹では高い旅費を工面できず、出席をあきらめざるをえませんでした。ですから、理論物理学のメッカ（聖地）とされるＮＯＲＤＩＴＡに招かれ、1年間の給与《きゅうよ》と赴任旅費をもらい、研究できることは大きな喜びだったのです。

## 研究に没頭《ぼっとう》したコペンハーゲンでの日々

7月に入ると、私の妻と4歳になる娘《むすめ》もコペンハーゲンにやって来ました。当初は家族とともに暮らす予定で、1年間滞在《たいざい》できるビザを二人の分もとっていました。ですが教師をしていた妻の仕事の関係で、夏休みを終えると妻と娘は日本に帰り、その後は私一人でコペンハーゲンで暮らすことになったのです。

私が住んでいた下宿は、研究所に紹介《しょうかい》された「モルトケ家」という家の3階の部屋でした。下宿といっても、研究所にやって来る外国の研究者に安く部屋を貸すボランティアのようなものだったのでしょう。モルトケ家はデンマーク貴族の末裔《まつえい》ということでしたが、近くの家並みの中ではそれほど大きな家ではありませんでした。子どもたちはすでに独立し、夫に先立たれた70歳過ぎの品の良いおばあさんが一人で暮らしていて、毎週末は別荘《べっそう》に出かけてそこで過ごすという優雅《ゆうが》な生活をされていました。時には私たち下宿生を庭に連れだし、たわわに実った西洋梨の木を指しながら「この梨はモルトケという品種なのよ」と話してくれたりしたのをおぼえています。

コペンハーゲンでの私の日々は、次のような感じでした。

毎朝7時に、ラジオでＮＨＫの国際放送を聞きながら起床《きしょう》します。窓を開けると小鳥のさえずりが聞こえ、リスが3階まで上ってきて部屋の中をのぞきこむこともあります。ダイニングキッチンで、牛乳、パン、卵の簡単な朝食を自分でつくって食べ、8時ちょうどに下宿を出ます。バスを2回乗り継《つ》いで30分ほど、8時半には研究所に到着。午前中は研究所がまだ静かなので、まさに一人で研究に集中する貴重な時間であり、研究の方向を熟考したり、論文を執筆《しっぴつ》したり計算をしたりするのが日課でした。

研究所の同僚《どうりょう》たちが出勤する時間は各自ばらばらですが、お昼ごろまでにはほぼ全員がそろいます。昼食は研究所内のカフェテリアで。弁当持参の人もみんなカフェテリアに集まります。食事をとりながら「僕《ぼく》は今、こんな研究をしているんだ」「君のこの前のアイデアは、その後どうなった？」などと話します。食後はそのまま、侃侃諤諤《かんかんがくがく》の議論に突入《とつにゅう》。すべてのテーブルにはメモ用紙とボールペンが置いてあり、計算式を書きながら討論が行われます。イタリア語なまり、ロシア語なまり、デンマーク語なまり、そして日本語なまりの英語、いわゆる「ブロークン・イングリッシュ」が飛び交い、情報を交換《こうかん》して刺激《しげき》を与《あた》え合うのです。

　午後はふたたび自分の研究にいそしみます。各人の居室はすべてドアが開け放たれ、来訪者はいつでも歓迎《かんげい》、自由に議論が行われます。3時になるとお茶とケーキの時間で、みんなでラウンジに集まっておしゃべりをします。その後は、国際研究所なのでいろんな国から訪問者があるためにセミナーが多くあり、それに参加したり、研究所の方と議論したりしました。夕方5時になると、有名な「人魚姫《ひめ》の像」のある公

NORDITAの自分の研究室にて（1979年）

園までジョギングで往復します。「コペンハーゲンの厳しい冬を生き抜《ぬ》くために、体を鍛《きた》えておくべきだ」と助言されていたのです。研究所に戻《もど》ってバスルームで汗《あせ》を流し、6時半頃、仲間数人と研究所の隣《となり》にある大学病院の食堂にもぐり込んで夕食です。メニューはなく、日《ひ》替《が》わりの決まったものだけで、豚肉《ぶたにく》料理が多かったのですが、たまに魚料理が出るとうれしかったです。かならずジャガイモが付けられ、好きなだけ食べられるのですが、ゆがいた芋《いも》にホワイトソースをかけたものが多くてこれは苦手で、揚《あ》げたポテトチップのときはラッキーでした。そして夜9時半には研究所を出て、10時に下宿に帰宅します。

こうした、まさに判で押《お》したような規則正しい毎日を送り、研究に没頭しました。私の科学者人生の最大の成果といえる、「なぜ宇宙はビッグバンで始まったのか」を説明する理論、いわゆる「インフレーション理論」はこの研究所で生まれたのです。

## 科学の力で「宇宙の始まり」の謎《なぞ》に挑《いど》む

私は現在まで50年以上にわたって、宇宙の研究をしてきました。特に力を入れて取り組んできたのは「宇宙の始まり」についての研究です。

私たちを取り巻く広大な宇宙は、昔からずっと存在してきたのか？　それとも、過去のどこかの時点で誕生したのか？　そうだとしたら、宇宙はいつ、どのように生まれ、その後ど

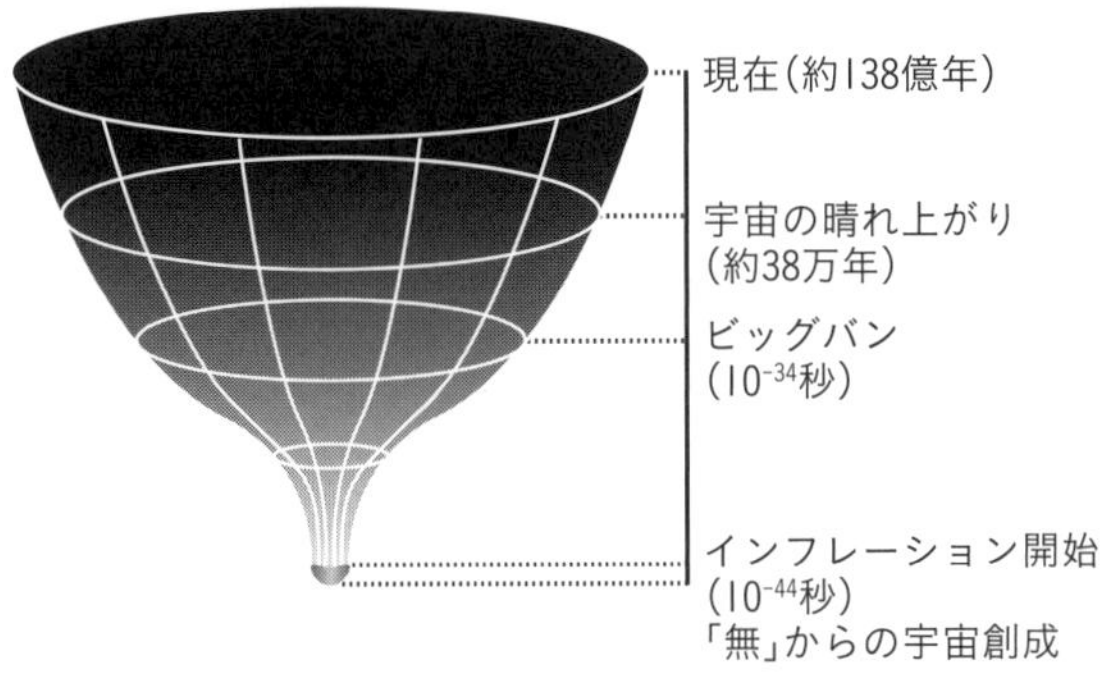


インフレーション理論をもとに描いた宇宙の歴史

んなふうに成長して現在の宇宙になったのか？

　これは、人類の歴史が始まったころから、宗教や哲学《てつがく》の問題としてずっと考えられてきた「根源的な問い」です。この難問に対して科学の力で答えを出そうというのが、私たち「宇宙論」の研究者の目標なのです。宇宙論とは、宇宙の誕生や歴史、さらには宇宙全体の構造について研究する学問であり、天文学の一分野です。

　現代の科学では、宇宙は今から約１３８億年前に、超《ちょう》高温の小さな火の玉として生まれたと考えられています。これを「ビッグバン宇宙論」といいます。ビッグバンとは大爆発《ばくはつ》という意味です。小さな火の玉宇宙は１３８億年間膨張《ぼうちょう》を続けながら温度を下げていき、現在の広大で冷たい宇宙になったのです。今から56年前（１９６４年）、私が大学生の時に、昔の宇宙が小さくて熱かったことを示す証拠《しょうこ》が見つかり、ビッグバン宇宙論の正しさが科学界で広く認められるようになりました。

　科学では、ある「結果」が生じた時、その「原因」は何だろうと考えます。宇宙がビッグバンで始まった、超高温の小さな火の玉として生まれたという「結果」があったとしたら、その原因はいったい何でしょうか。ものを高温にするには何らかの「エネルギー」が必要です。宇宙を超高温の火の玉にしたエネルギーは、どこからやって来たのでしょうか。私が宇宙の研究を始めた１９６０年代から70年代にかけて、それはまったくの謎でした。

　私は１９８０年、コペンハーゲンに赴任した年の翌年に「宇宙は生まれたとたんに激しい急膨張をした」という論文を発表しました。これがこんにち「インフレーション理論」と呼ばれる理論を世界で初めて発表したものになります。生まれたばかりのミクロの宇宙には「真空のエネルギー」＊1が満ちていて、このエネルギーによって宇宙は一瞬《いっしゅん》のうちに急膨張をしました。電子顕微鏡《けんびきょう》でも見えないミクロのサイズだった宇宙は、急膨張によって目に見える大きさ（諸説ありますが、たとえば1メートルくらい）に成長したのです。そして急膨張が終わると、真空のエネルギーが熱のエネルギーに変わって、宇宙全体が超高温の火の玉になりました。これがビッグバンです。その後、宇宙はゆるやかな膨張を続けて現在の宇宙になったのです。

＊1　**真空のエネルギー**｜空っぽの空間である真空そのものが持つエネルギー。

まるでＳＦのような話に思えるかもしれませんが、これは科学的な裏付けのある理論です。そして人工衛星による観測によって、インフレーション理論の正しさが認められつつあります。現在もインフレーション理論の決定的な証拠を見つけようと、多くの観測が行われています。

宇宙はどのように生まれたのか――人類にとって究極の謎といえるものに対して、私たちは科学の力で挑み、答えを見つけ出そうとしているのです。

## 科学者になりたいみなさんへ

私の経歴を最初に簡単に紹介しましょう。

１９４５年8月30日、第二次世界大戦（太平洋戦争）が終わった半月後に、香川県の坂出《さかいで》市で生まれました。子どものころから科学が好きで、日本人で初のノーベル賞に輝《かがや》いた湯川《ゆかわ》秀樹《ひでき》先生にあこがれて、科学者の道へ進むことを決めました。

そして京都大学に入学し、湯川先生の弟子である林忠四郎《はやしちゅうしろう》先生のもとで宇宙の研究を始めました。多くの先輩《せんぱい》や友人、後輩との縁《えん》に恵《めぐ》まれ、厳しくも楽しい研究生活を送りました。デンマークのコペンハーゲンでの充実《じゅうじつ》した日々も、忘れられません。

デンマークから帰国して、２年後に東京大学に移り、宇宙物理学の研究室を持つようになりました。仲間たちや学生とともに、宇宙の始まりについて研究を進めることができました。今や宇宙物理学は多くの研究者が集まる分野となり、その発展に貢献《こうけん》できたことは本当にうれしく思います。

大学を定年退職後は、日本の科学研究全体をどのように進めていくのかを考える組織で仕事を行いました。そうした仕事を通して「科学・科学者の応援団《おうえんだん》」としての活動ができたように思います。

日本の科学者（研究者）の人数は、総務省の統計によると、２０１９年3月31日時点で約87万人とのことです。そのうち、大学等の研究者が約33万人、公的機関（国公立の研究所など）や非営利団体（財団法人など）の研究者が約4万人、企業《きぎょう》等の研究者が約50万人です。日本の科学力の低下や、若い人の科学離《ばな》れがメディアで話題になって久しいですが、日本は今でもまだ、世界有数の科学大国の地位を占《し》め、多くの科学者が活躍《かつやく》しています。

「将来、科学者になりたいけど、どうすればいいんだろう？」

「自分もノーベル賞を取れるような科学者になれるかな？」

「研究ってどんなふうにするの？　研究は大変だと聞くけど、自分にできるかな？」

「科学者ってどんな毎日をすごしているの？」

本書を手に取られたみなさんが思うことは、さまざまでしょう。もしかすると、

「科学にはあまり興味がないけど、科学ってそんなにおもしろいの？」と思っている人もいるかもしれません。

次の第1章から、私の科学者人生を紹介しつつ、「科学とはどういうものなのか」「優れた科学者になるためには何をしたらよいか」といったことについて、私が思うことをお話しします。

日本だけで87万人もいる科学者のキャリアはみんな違《ちが》いますし、考えていることもさまざまです。これから科学者をめざすみなさんと私とでは、生きる時代も違います。ですが研究生活の後半では、今後の科学のあり方や科学者の育成について検討し、施策《しさく》を行ったり提言をしたりする機会も多くありました。それらはもちろん、21世紀を生きるみなさんを念頭に置いたものですので、私の話は若いみなさんのお役にも立つのではないかと思います。

科学が大好きで、科学のおもしろさにずっと魅了《みりょう》されてきた私の経験や考えが、これからの時代を担うみなさん――将来科学者になる、ならないに関係なく――の人生の参考になれば、うれしい限りです。

# 第1章

# 「ふしぎだな」
# 「おもしろいな」が
# 科学の原点

WORLDLY WISDOM
FOR 14 YEARS OLD

## ラジオ工作が大好きだった小学生時代

第1章では、私の幼いころから高校までのことを振《ふ》り返りつつ、「子どものころにこんなことをしていると、あとで役に立つと思う」といった話をしてみます。

私の故郷は四国の香川県坂出市で、かつては広大な塩田があった「塩の名産地」として知られています。塩田とは、海水から塩をつくるために海岸につくられた田んぼです。海水を砂にまいたり、水路を使って海水を砂にしみこませたりしたあと、太陽光と風で水分を蒸発させて塩をつくっていました*1。ただし私が生まれたのは、塩田があった海岸から一番遠いところ、当時は綾歌《あやうた》郡川津《かわつ》村と呼ばれていた地域でした。

月のない新月の夜は完全に真っ暗となるほどの田舎であり、夜空には天の川がとてもきれいに見えました。「宇宙をどんどん遠くへ進んだらどうなるのだろう？」とか「宇宙に果てはあるのかな？」などと満天の星を見ながら思ったことをおぼえています。当時はちょうど、人工衛星が上がり始めていて、人類が宇宙に行ける可能性が出てきた時代でした。旧ソビエト連邦《れんぽう》（現在のロシア）のガガーリン宇宙飛行士が人類初の宇宙飛行を成し遂《と》げたのは１９６１年、私が高校生の時のことです。

**＊1　塩をつくっていました**｜現在は塩田を使わず、イオン交換膜を使って濃縮した海水を真空式蒸発缶で煮詰めるというやり方で塩を製造しています。

「宇宙に果てはあるのか」という疑問を、子どものころに抱《いだ》いたことがある人もいるでしょう。子どもらしい素朴《そぼく》な疑問をそのまま持って、私は宇宙の研究者になってしまいました。いつまでも子どものままでいられるのは科学者の良いところかもしれません。

小学生のころから、鉱石ラジオをつくったりするなど電気工作が大好きでした。「鉱石ラジオ」って知ってますか？　電池などの電源がなくてもラジオ放送が聴《き》ける装置で、当時の子どもたちに大人気でした。今でも鉱石ラジオ（ゲルマニウムラジオとも呼ばれます）のキットが売っていますので、ぜひ組み立ててみてください。電池もない装置からラジオの音が流れ出すと、感動しますよ。

また、父が買ってくれた『ラジオの工作』という本を何度も読んで回路を暗記して、鉱石ラジオではない普通《ふつう》のラジオのしくみを理解しました。そして、近所のこわれたラジオを直したり、いらなくなったラジオをもらってきて新しく組み直したりしましたね。父は木田農業学校（現在の香川大学農学部の前身）で農芸化学を学んだこともあって、子どもの科学教育に熱心でした。ですから、スピーカーや真空管（電球のような部品で、電流や電圧のコントロールに使う）など、私がほしいと思った電子部品をほとんど買ってくれたのです。

## 中学でテレビやアマチュア無線機も自作

中学校は父のすすめで、香川大学学芸学部附属《ふぞく》坂出中学校（現在は香川大学教育学部附属坂出中学校）を受験することになりました。でも田舎の小学校でちゃんとした勉強もしていなかったので、競争率の高い入学試験に合格できるか不安でした。そこで当時の担任だった西条先生に相談すると、ありがたいことに先生のご自宅で夜の時間を割いて私の勉強を見てくれました。そのおかげで無事に合格できたのです。

中学に入学後、父がテレビの組み立てキットを買ってきてくれました。テレビの本放送が始まったのは私が小学校低学年の時（１９５３年）で、当時はテレビが各家庭に普及《ふきゅう》し始めた時代でした。現在のデジタルテレビのしくみは複雑すぎて自作は難しいですが、当時のテレビなら個人で組み立てることができたのです。ときどき感電しながら、徹夜《てつや》して20時間くらいかけて組み立てましたが、真空管の不良でうまく映りませんでした。真空管を新しいものに交換《こうかん》すると、きれいに映ってほっとしましたね。

中学時代は「アマチュア無線」にものめり込《こ》みました。世界中の見知らぬ人と無線で交信できるアマチュア無線は、当時大流行したものです。現在でいえば、インターネットの掲示《けいじ》板のようなものでしょうか。私は中学2年の時、アマチュア無線技士の試験を受けて合格しました。無線機も自作して学校の文化祭に展示し、無線通信の実演もしました。翌日の地元の新聞で「四国最年少無線技士誕生、附属坂出中学で交信実演」と写真つきで報道してもらい、とてもうれしかったですね。

## 何度もしつこく質問する子どもだった

20年ほど前に、小学1、2年生のときの担任だった山下先生に久しぶりにお目にかかった時、先生から「君はしつこかったな」と言われました。わからないことがあると納得できずに「なぜ？」「なぜ？」と何度も質問していたからです。

たとえば、小学校の理科の授業で「電気（電流）は電池のプラス極から流れ出してマイナス極へと戻《もど》る」と習います。それなら、電気はいつまでもあるはずで、電池は消耗《しょうもう》しないように思いませんか？　でも実際に電池はそのうち使えなくなります。だから、電気はプラス極とマイナス極の両方から流れ出して、電球をかがやかせると消えてしまうのではないかと私は考えて、先生に質問したのです。

今だったら、電気が流れるとは「電子が動くこと」だと知っています。電子が電球内のフィラメントをすばやく動くと、その際の「摩擦《まさつ》」のエネルギーによって電球は輝《かがや》きます。一方、電子は摩擦の分、エネルギーを失って電池に帰るのです。小学校の先生が、生徒にこうした説明をわかりやすくするのはけっこう難しいでしょうね。

でも私は、わからないのにわかったような顔をすることができませんでした。だから先生を「なぜ？　違《ちが》うんじゃない？」と質問攻《ぜ》めにして、だいぶ迷惑《めいわく》をかけたと思います。そんな私を、先生は内心「しつこいな」と思っていたわけですが、当時はそう言わず、逆にずいぶんほめてくれたんです。それが、私が科学研究の世界に進むようになった理由の一つになったと思いますので、山下先生には本当に感謝していますね。

## 世の中は「ふしぎ」であふれている

何にでもふしぎがる、疑問を持つということは、とても大事です。自然世界はまさに、ふしぎに満ちあふれているからです。

「ふしぎだな」と思うことを、周囲の人に質問したり、自分で調べてみたりして、「そうなのか！　おもしろいな！」と思う、これはまさに科学の第一歩です。周囲の自然だけではなく、私たち人間も、すごくふしぎな存在です。なぜ人はダンスをすると気持ちがはればれするのか、歌を歌うと楽しくなるのか――こうした「人間科学」も急速に発達していて、私も注目しています。

じつは読者のみなさんも、幼児のころには「なんで？　なんで？」と周囲の大人たちに質問しまくっていたはずです。3歳くらいから始まる「なぜなぜ期（質問期）」と呼ばれる時期です。でも成長するにつれて、質問をするのが恥《は》ずかしくなったり、面倒《めんどう》になったりしてくるんですね。ですが、大人になっても質問ができる人は、一般《いっぱん》的に「伸《の》びる」人だと思います。

私は東大生に向けて「恥《はじ》をかくことのすすめ」というエッセイを書いたことがあります。東大生に限りませんが、優秀《ゆうしゅう》な人はプライドもあるので、学会や研究会などでもなかなか質問できません。でも「こんな質問は笑われるんじゃないか」と思うようなものでも、じつはまわりの人もみんな知らなくて聞きたかったというのはよくある話です。日本人は特にそうした場で消極的で、海外の研究者に負けてしまっているので、恥をかくことなど何ら恐《おそ》れずに質問してほしいですね。

## 「常識」を疑うことのススメ

それから「ふしぎがる」ということの中には「常識を疑う」ことも含《ふく》まれます。大人が語る科学的な常識にしろ、人間社会における常識にしろ、それらがかならず正しいとは限りません。たとえば、私が育児をしていた40年ほど前には「赤ちゃんや子どもはいつも日光に当てて元気に育てなさい」といわれていました。でも今は「太陽の紫《し》外線《がいせん》は危険なので、子どものころから紫外線対策が必要だ」というのが常識になっています。従来の常識がまるっきり変わっているのです。

ですからどんな「常識」でも、自分でもう一度考え直してほしいと思います。とはいえ、何でもかんでも疑うのは大変ですし、相手の言うことを全部否定していては社会の中でやっていけません。最初は素直に聞いてみて、その後で「本当にそうなのかな？」と考え直してみたり、その場では反論せずに後で自分で調べてみたりするといいのかもしれません。「疑ってかかれ」というのは言葉が悪いですが、大切なのは「自分で考えてみよう」ということです。すぐには自分で判断できなくても、その疑問をおぼえておけば、あとでそれが解けることになるかもしれません。

最近は「フェイクニュース」という言葉もよく聞かれますが、何が本当なのか簡単にはわからない時代になっています。真実に見えること、「なるほどそうか！」と納得してしまうものほど、じつはフェイクだったということもあります。常識や他人に対してだけではなく、自分の判断力さえ疑う必要があるのです。信じ込んでしまう前に「待てよ、他の人はどういっているのかな？　別の考えの人はいないのかな？」などと立ち止まってみることも大切です。

科学の世界では「パラダイムシフト」といって、それまで大多数の人が信じてきた常識や物の見方（パラダイム）ががらっと変わってしまうことが時々起こります。有名なのは「地球が宇宙の中心にあり、その他の天体は地球の周囲を回っている」という天動説から「地球は他の惑星《わくせい》とともに太陽の周囲を回っている」という地動説への大転換です。他にも大陸移動説*2や相対性理論などがパラダイムシフトの例として挙げられます。科学の発展とは、従来の常識を覆《くつがえ》すこと、パラダイムシフトを起こすことだともいえます。昔の偉《い》大《だい》な科学者には敬意を払《はら》いつつも、疑う心は常に持っておく、それが科学者として当たり前の姿勢であり、科学者に限らずすべての人に必要なことだと思います。

**＊2　大陸移動説**｜大陸は地球の表面上を移動して位置や形状を変えるという説。ドイツの気象学者アルフレート・ウェゲナーが1912年に提唱しました。

## 子どもの疑問から科学の常識がひっくり返る

ふしぎがることは大事だと言いましたが、ある子どもの疑問から科学の常識がひっくり返った例があります。それは当時16歳《さい》の少年のこんな疑問でした。

「自分が光の速さで飛んでいる時に、持っている鏡を見たら、自分の顔は鏡に映るだろうか？」

さて、みなさんはどう思いますか？

鏡に映った自分の顔を見るには、①まず、顔に当たった光が反射して鏡に届き、②その光が鏡に反射して自分の目に入る、ということが起こらないといけません。では、自分が光の速さで動いている時に、顔に当たって反射した光は持っている鏡まで届くでしょうか？

野球のピッチャーが時速１５０キロメートルのボールを壁《かべ》に向けて投げたとします。普通《ふつう》なら、ボールは壁にぶつかって跳《は》ね返り、自分のところまで戻ってくるでしょう。でも、もし壁が時速１５０キロメートルで遠ざかっていたら？　この場合、ボールは壁にぶつかりませんから、自分のところに戻ってくることもありませんよね。

鏡を持ったまま光の速さで飛ぶのは、これと同じ状態です。顔に当たって反射した光が鏡に向かっても、鏡もやはり光の速さで飛んでいる（遠ざかっている）ので、光は永遠に鏡に届かないはずです。だとしたら、光が鏡に反射して戻ってきて自分の目に入ることはないので、「自分の顔は鏡に映らない」——それが答えに思えませんか？

でも、この疑問を持った少年は、そうは考えませんでした。「鏡に自分の顔は映るだろう」と思ったのです。

もし鏡に顔が映らないとしたら、顔から出た光は、光の速さで飛ぶ自分にとって、止まって見えることになります。でも少年は「光が止まって見えるなんて、そんなことはありえない気がする！」と思ったのです。

その少年の名前はアルベルト・アインシュタインといいます。相対性理論をつくった天才科学者として、みなさんもよく知っていますよね。ガリレオやニュートンと並ぶ、科学者の代表と言ってよいでしょう。

それから10年後、26歳になった青年アインシュタインは確信を持ちました。

「自分が光の速さで走っても、光が止まって見えることはない。そして自分がどんな速度で動こうとも、光の速度は常に光速度（秒速約30万キロメートル）で一定に観測される。自然はそのようになっているはずだ」

アインシュタインはこの「光速度不変の原理」を元にして考えて、時間の流れる速さが一定ではないことを明らかにしました。速く運動するほど、時間の流れる速さは遅《おそ》くなります。もし光速の99パーセントで飛行する宇宙船「アインシュタイン号」があったとしたら、宇宙船内で流れる時間の速さは地球上の約7分の1になります。宇宙飛行士が「1年」宇宙旅行をして地球に戻ってくると、地球では「7年」の時間が経過しています。アインシュタイン号の宇宙飛行士から見ると、6年先の「未来の地球」に到着《とうちゃく》したのも同然で、未来へのタイムトラベルが実現できるのです。

「時間の流れる速さは常に一定である」という従来の常識を覆したこの理論が、有名な相対性理論[*3]です。アインシュタインは子どものころの疑問に答えを出すことで、革命的な理論をつくったのです。

## 『不思議の国のトムキンス』との出会い

私を科学の世界に夢中にさせた一冊の本があります。

当時は電気工作が大好きでしたから、電気工作の本は本当にたくさん読みました。もしも宇宙の研究をしていなければ、私はきっと電気系の技術者になっていたでしょう。大人になっても工作は大好きで、パソコンを自作したこともあります。

＊3　**相対性理論**｜相対性理論には「特殊相対性理論」と、それをより一般的に広げた「一般相対性理論」の2種類があります。運動によって時間の流れる速さが変化することを示したのは1905年発表の特殊相対性理論です。

　そんななかで中学生の時に読んだのが、『不思議の国のトムキンス』（白揚《はくよう》社）です。著者はビッグバン理論の生みの親である、ロシア出身のアメリカの物理学者ジョージ・ガモフです。１９４０年に原書が刊行されましたが、当時、世界中の子どもたちに愛読されました。私はこの本で、相対性理論や量子論*4などを知ったのです。

『不思議の国のトムキンス』の挿絵より、若いおじいさんを駅で出迎える年をとった孫娘。

　ストーリーは、銀行員のトムキンスさんが架空《かくう》の「不思議の国」に入り込んで、相対性理論や量子論の効果が極端《きょくたん》に現れるようすを見るというものです。相対性理論が明らかにした「速く運動するほど時間の流れる速さが遅くなる」という効果は、運動速度が光の速さに近づくほど強く現れます。「不思議の国」では、光の速さが列車の速さ程度になっているので、トムキンスさんは相対性理論の効果を「実感」できるのです。

　たとえばトムキンスさんは、駅で年老いたおばあさんが、列車から降りてきた中年の紳士《しんし》に「おじいさん、お帰りなさい」と声をかけるようすを見ます。中年の

**＊4　量子論**｜ミクロの世界における物質のふしぎなふるまいを明らかにした理論。

紳士はセールスマンで、列車に乗ってたえず移動しているために時間の流れが遅くなって、年をとらず、孫娘《まごむすめ》のほうが「年上」になってしまったのです。中学生の私は「こんなことが起こるんだ！」ととてもショックだったことをおぼえています。

『不思議の国のトムキンス』は２０１６年に、刊行当時の「復刻版」が出版されています。今読み返すと多少古めかしい印象もおぼえますが、相対性理論や量子論を「実感」できるおもしろさはやはり魅力《みりょく》的ですので、一読をおすすめしたいです。

## 日本人初のノーベル賞・湯川先生へのあこがれ

もう1冊、忘れられないのは、日本人で初めてノーベル賞（ノーベル物理学賞）を受賞された湯川秀樹先生の伝記です。私たちの世代で科学者になった人の多くは、湯川先生にあこがれて科学者になろうと思ったはずです。もちろん私もその一人でした。

湯川先生は「中間子」という未知の微粒子《びりゅうし》が存在することを予言して、１９４９年に日本人初となるノーベル賞を受賞しました。中間子は「原子核《かく》の中で陽子と中性子をかたく結びつけている粒子」です。

中学校の理科で「原子」のことを教わったと思います。物質をどんどん細かくしていくと、それ以上は分解できない小さな粒子である原子になります。原子の大きさは、もっとも小さな水素原子で１０００万分の１ミリメートルくらいです。そして原子は、中心部にある「原子核」と、その外側を回る「電子」からできています。原子核はプラスの電気を持つ「陽子」と、電気を持たない「中性子」がいくつか集まってできています。20世紀の前半は、原子の内部のようすがどんどんわかり、「核物理学」が急速に進歩した時代でした。

　湯川先生は京都大学で理論物理学を学んだ後、京都大学や大阪大学で講師をしながら研究を続けていました。湯川先生が考えていたのは「原子核はなぜバラバラになってしまわないのか？」という問題でした。プラスの電気を持つ陽子が複数集まれば、電気的な反発力が生まれるので、原子核としてまとまらずに壊《こわ》れてしまうはずだからです。そこで湯川先生は

湯川秀樹先生（写真提供：大阪大学湯川記念室）

「原子核の中には未知の粒子があって、陽子や中性子はその未知の粒子を『キャッチボール』することで、お互《たが》いにしっかりと結びついているのだ」という仮説を立てました。

　人間が野球のボールを投げ合う（キャッチボールをする）際には、二人が１キロメートル離《はな》れていてはダメですよね。数十メートルからせいぜい

１００メートルほどに近づく必要があります。つまり野球のボールでキャッチボールするために、二人は「近づく」のです。では、ボウリングのボールでキャッチボールしようとすれば？　実際には危険なのでやってはいけませんが、もし重いボウリングのボールを投げ合おうとすれば、二人はものすごく近づかないといけません。つまり、重いボールを投げ合おうとするほど、二人の距離《きょり》を近くする必要があるのです。

　湯川先生は、陽子や中性子が互いに近づいて原子核がしっかりと保たれるには、どんな重さの粒子でキャッチボールすれば良いかを計算しました。その答えは「電子の約２００倍の重さの粒子」でした。陽子と中性子は電子の約２０００倍の重さがあります。ですからキャッチボールされる粒子は、電子よりは重くて、陽子や中性子よりは軽い、「中間」の重さになります。そこで湯川先生はこれを「中間子」と名づけ、中間子の存在を予言したのです。「中間子論」の発表は１９３４年、湯川先生が28歳の時のことでした。未知の新粒子の存在を主張する湯川先生の説に対して、理論物理学や核物理学の先進国である欧米《おうべい》の物理学者の多くは、否定的な見方をしたそうです。量子論の創始者ボーアは、１９３７年に日本を訪れた際に、湯川先生から中間子論の説明を受けて「君はそんなに新粒子がつくりたいのかね？」と批判したといいます。

　ところがその直後、中間子によく似た重さの新粒子（ミューオン）が、宇宙から地球に降り注ぐ「宇宙線」の中に見つかったと、アメリカの物理学者アンダーソンが発表したのです。これは湯川先生の予言とは別の粒子で、湯川先生の予言通りの粒子（パイ中間子）は、第二次世界大戦後にあらためて発見されました。しかしアンダーソンの報告によって、世界中の物理学者が中間子論に注目し、「ユカワ」の名前は世界中に知れ渡《わた》ったのです。

## あこがれの人を持つことは大事！

１９４９年に湯川先生は、日本人初となるノーベル賞を受賞しました。第二次世界大戦での敗戦からまだ4年、アメリカの占領《せんりょう》下にあり、戦争の痛手から立ち直っていなかった日本の人たちにとって、湯川先生のノーベル賞受賞は大きな喜びであり、希望となったのです。新聞はこぞって湯川先生の特集を組み、子ども向けの湯川先生の伝記もたくさん出版されたと聞いていて、私が読んだのはそうした本の一つだったのでしょう。

私が湯川先生の名前を最初に聞いたのは、小学生のころでした。日本人で初めてノーベル賞というすごい賞をもらった偉《えら》い先生がいるんだ、という話を聞いたのです。湯川先生の伝記をくれたのは、当時大学生だった親戚《しんせき》の一人でしたが、小学生だった私にとって中間子論の話は難しくて、正直よくわかりませんでした。でも、若いころからものすごく努力してが

朝日新聞
湯川博士にノーベル賞
日本人で最初の栄誉
世界に輝く「中間子論」
滞米中　四兄弟そろって学者
物理学界の誇り
時宜を得たもの
湯川秀樹博士

湯川先生のノーベル賞受賞を知らせる新聞紙面（1949年11月4日、朝日新聞）

んばれば、日本という貧しい国からでもノーベル賞をもらえるんだと思いました。欧米の科学者が恵《めぐ》まれた環境《かんきょう》で研究しているのに対して、湯川先生はまさに紙と鉛筆《えんぴつ》と自分の頭脳だけで中間子論をつくり、未知の新粒子の存在を言い当てたのです。当時の子どもたちにとって、まさにヒーロー、あこがれの存在でしたね。

　若いみなさんに「貧しかった日本」の話をしてもピンとこないでしょうし、古くさい話だと思われるかもしれません。でも、スポーツが得意でプロになって世界の舞台《ぶたい》で活躍《かつやく》したいと思った時、普通の日本人の体格や身体能力では海外の選手にかなわないといった状況《じょうきょう》は今でもあります。

## 工学部か理学部か、進路選択《せんたく》の決め手

私の話に戻りますと、高校は坂出市の隣《となり》の丸亀《まるがめ》市にある香川県立丸亀高校に進学しました。相変わらずアマチュア無線にのめり込み、アマチュア無線クラブをつくって無線局を開局したりしていました。

ですから大学は工学部を選んで、将来は電気・電子関係のエンジニアになるという選択肢《せんたくし》もあったと思います。一方で、湯川先生へのあこがれから、理学部に進んで理論物理学を学びたいという思いもありました。

電気工作が好きな私にとって、当時日本に駐留《ちゅうりゅう》していたアメリカ軍が放出した電子部品の数々は魅力的でした。真空管は民生用のガラス製でなく金属製で、驚《おどろ》くほど性能の良いものでした。そんな黒光りする真空管や大型のバリコン（可変蓄電池《ちくでんち》）を手に胸を躍《おど》らせました。でもそれは一方で、アメリカの工業力の圧倒《あっとう》的な優位性を示すものでした。科学者として成功するには、欧米の科学者と同じことをしていてはダメだと思いました。湯川先生のように、お金はなくても自分の頭脳で、理論で勝負する、それをめざすべきではないかと考えたのです。

その湯川先生は、ノーベル賞の受賞時にはアメリカのコロンビア大学の客員教授を務めていました。ですが1953年、湯川先生のノーベル賞受賞を記念して、母校の京都大学に「基礎《きそ》物理学研究所（略称《りゃくしょう》は「基研」）」が設立され、その所長として日本に戻ってこられたのです。

京都大学の理学部に行き、あこがれの湯川先生のもとで研究すれば、立派な科学者になれるかもしれない、ノーベル賞だって取れるかもしれない——できる自信があろうとなかろうと、それが私の大きな夢でした。結局、それが決め手となって、私は京都大学理学部を志望先に選んだのです。

## 高校までに何を勉強する？

科学者になりたいと思う人は、高校生までにどんな勉強をしたり、どんな知識を身につけておくとよいのか、私が考えることを話しましょう。

まず理科ですが、科学者になりたい人であれば、自分が関心のある科目や分野については十分に勉強していると思います。学校の授業で教わる内容だけではなく、専門的な本を読んだり、インターネットで情報を集めたりしているでしょう。

一方、今はそれほど興味をひかれない科目や分野であっても、一定の知識を得たり、最新の話題に関心を寄せておくと、あとでかならず役に立ちます。たとえば私は、高校や大学時代は生物学にあまり関心がありませんでした。生物の授業はおぼえることばかり多くて単なる暗記科目のように思えたのと、物理学と違って原理や一貫《いっかん》性のない、単なる分類学ではないかと考えていたのです。でも今の私は生物学に大変魅力を感じていて、当時は視野が狭《せま》かったなと思います。最近の科学は「分野融合《ゆうごう》的な研究」が重視されていて、自分の専門領域以外についてもよく知っておくことがますます大切になっています。

それから数学について。科学が好き、理系が好きという人でも、数学はあまり得意でないという人がいます。数学が苦手だったために、理系に進むのをあきらめたという人の話も、よく耳にします。

数学は科学にとって必須《ひっす》のものであり、なおざりにはできません。ただ、数学が得意でなくても、科学者としてやっていけます。物理学者の中でも、おもに理論的な研究をする人、通称《つうしょう》「理論屋」の場合は、数学ができないと困ります。一方、実験を通して物理研究を行う「実験屋」だったり、野外で自然や生き物を観察する「フィールドワーク」を行う科学者の場合は、自分で難しい数値計算ができなくても、その部分は他人に任せて、自分は実験やフィールドワークの腕《うで》を磨《みが》くという道があるでしょう。

私はかつて、東京大学で一般《いっぱん》相対性理論を学部生に教えていました。一般相対性理論を理解するには「リーマン幾何学《きかがく》」を勉強しなければなりません。これは非常に難解な数学で、アインシュタイン自身も習得に苦労したほどでした。でもリーマン幾何学がわからないと一般相対性理論はまったく理解できないので、これはがんばってもらうしかないですね。しかし計算が少し苦手でも、やっていることの数学的意味や考え方、難しく言えば「概念《がいねん》」さえちゃんと理解できていれば、科学者になることをあきらめる必要はありません。たとえば高校で習う微《び》分《ぶん》や積分ならば、「極限」とはどのような考え方なのかがわかっていなければ、微積の意味は当然理解できませんので、極限という概念を理解できるようにがんばってください。ただし、繰り返しになりますが、理論物理学者のように数学の計算を駆使《くし》して研究を進める分野は、概念の理解だけでなく、実際に計算の腕も強くなければいけません。

英語も非常に大事です。科学者は論文を国際語である英語で書く必要がありますし、英語の論文を読めなければなりません。また、海外の研究者との共同研究も多いので、彼《かれ》らとメールでやりとりしたり、会って話したりする際にも英語力がいります。とはいえ、ネイティブの人のように話せる必要はなく、発音や文法が少し怪《あや》しい「ブロークンイングリッシュ」でもまったく構いません。人とのコミュニケーションに大切なのは「心」、特に相手と積極的に交流しようとする心なので、ある程度の語学力で十分です。

その他、国語や社会等の文系の科目は、理系をめざす人だと苦手にしている場合もあるかもしれません。じつは私は国語がたいへん苦手でした。特に漢字を覚えて書くことが苦手で、母からいつも叱《しか》られていました。しかし、論理を詰《つ》めて考え、それを文章として表現すること、また文章を読んで、そこで何が問題とされていて、どのような論理で結論を導いているかを理解することは、科学者としても当然ですが、人間の生きるスキルとしても不可欠なものです。一方、歴史や社会は好きな科目でした。大型類人猿に属するホモサピエンスが、20万年前の「出《しゅつ》アフリカ」以後、知的生命体として今日の人間社会を作り上げていった歴史は、生物学の観点からも大変興味深いものです。

体は鍛《きた》えておきましょう。仕事をする上で体力は欠かせませんし、なんと言っても健康は人生を豊かにしてくれる宝といえるものです。

## 大学をどう選ぶか

私の大学受験は、京都大学の理学部一本でした。湯川先生にあこがれ、湯川先生のもとで研究したいという思いだけで受験し、合格できました。

私のように、あこがれの先生のもとで研究したいという動機で大学を選ぶ人は、今でも多いだろうと思います。今はどの大学もホームページを開設して、各学部・各研究室をくわしく紹介《しょうかい》しています。学部独自のパンフレットを製作し、若手の研究者や学部生・院生の生の声を紹介しているところもあります。それらの情報は大学選びに大いに参考になるでしょう。

すぐれた科学者・研究者は、東京大学や京都大学などのいわゆる「旧帝大《きゅうていだい》」[*5]や、私立の名門校だけにいるわけではありません。最近は地方の大学にも優秀《ゆうしゅう》な研究者がたくさん在籍《ざいせき》しています。大学名・ブランドにまどわされず、自分が興味のある分野で現在どんな研究が行われていて、どの大学に行けばそれを学べるのかをしっかりと調べてほしいと思います。

とはいえ、最新の研究動向、さらには今後発展が期待されている研究分野を、高校生や中学生がきちんと知ることは難しいでしょう。みなさんが「今」おもしろいと思っている分野は、最先端《せんたん》の研究者から見るとすでに研究しつくされていることも多いです。5年後・10年後にみなさんが科学者として第一歩を踏《ふ》み出す時には、もはやその分野は魅力のないものになっている可能性もあります。

大学に進み、各学部で学んでいく中で、自分が興味を持っていた分野の最新の研究動向や、将来が期待されている別の分野の話は、耳に入ってくることでしょう。それらを踏《ふ》まえて、科学者として成功するためにはどの分野を選び、何を研究テーマにすればよいのか、その時点で真剣《しんけん》に考えても良いと思います。

＊5　**旧帝大**｜旧帝国大学。現在の東京・京都・東北・九州・北海道・大阪・名古屋の各国立大学の前身。

## 高校までの「勉強」と大学での「学問」の違い

この章の最後にもう一つ、大切なことを話します。それは、高校までの「勉強」と、大学や研究所で行われる「学問」や「研究」は、大きく違うものだということです。

高校までの「勉強」で求められるのは、結局のところ「与《あた》えられた問題を解く力」だといえます。問題は「与えられるもの」であり、その問題には最初から「解答」があります。その解答にたどり着く力をつけること、そしてその力によって「テストで良い点を取ること」が、いってしまえば高校までの勉強の目的になっています。

でも、大学等での「学問」はそうではありません。学問で求められるのは、まず「問題を自分でつくること」です。現在、その分野で何が問題になっているのか、その問題を解決することで、より真理に近づいたり、人間社会の役に立ったりするのか、そうしたことを考えて「良い問題」を発見（設定）する力が求められます。

問題を発見したら、次は「その問題を自分で解決すること」です。問題の答えや、問題を解決するための方法は、誰《だれ》一人知りません。そもそも、答えが存在するのかどうかもわかりません。誰も答えを知らず、答えがあるのかもわからない、そうした問題に答えを出して、初めて学問上の成果を挙げられたことになります。

したがって、高校までの勉強がよくできた人が、すぐれた研究を行えるとは限りません。大学（学部）でも授業やテストがありますが、テストの成績が良く、成績表が「優」ばかりの人が、立派な科学者・研究者になれるわけではありません。大学の授業で教わるのは、学問を行うのに必要な「最低限の知識」にすぎないからです。

これは、将来科学者や研究者になりたい人に限った話ではありません。「問題発見能力」と「問題解決能力」は、どんな仕事をする際にも必要になるからです。仕事上だけではなく、社会の中で生きていく上で、そして家族関係や友人関係においても、こうした能力を身につけることがとても大切です。

中学生や高校生のみなさんが、今すぐに問題発見能力や問題解決能力を身につけることは無理ですし、あわてる必要はありません。ですが、高校までの勉強の中でも「その先のこと」を意識しておいてほしいと思います。それには、公式や用語、解法などを頭の中にひたすら詰め込むのではなく、「考えること」や「疑問に思うこと」が大事です。

「授業ではこう習ったけれど、なぜこう言えるのだろうか」

「この問題は未解決らしいけれど、自分だったらどう考えるだろうか」

そうした疑問を持ち、すぐには答えが見つからなくても心に留めておく。その積み重ねが、

「光の速さで飛んだ時、持っている鏡に自分の顔は映るだろうか」と考えたアインシュタインのように、将来大きな発見につながることだってあると私は思います。

# COLUMN 1 科学とは何だろう？

## 「サイエンス」は「科学」ではない？

辞書を引くと、科学とは「仮説を立てて、その仮説が本当に正しいのかどうかを、さまざまなデータや論理を使って検証する行為《こうい》」といった説明が見られます。一般《いっぱん》の方が思う科学は、学校の理科の授業で習う、物理や化学、生物、地学といった教科の内容だったり、白衣を着た科学者がフラスコなどを手に実験をしているようなイメージのものかもしれません。

ちなみに、科学者といえば「白衣」のイメージですが、本当に白衣を着るのはお医者さんや、化学系や生物系の科学者が実験を行うような場合に限られます。私のような宇宙の研究をしている科学者は、白衣を着ることはまずありません。

私は科学を、次のようなものだと考えています。

「科学とは、それぞれの人が『おもしろい！』と思い、それを知ることが喜びだったり何かの役に立つと思って、自分の意思で調べること」

私が考える科学は、英語の「サイエンス（science）」に近いと思います。じつは多くの日本人が誤解しているのですが、scienceは日本語の「科学」よりも「学問」に近い言葉です。たとえば、政治学は英語で「political science」、歴史学は「historical science」といいます。scienceの語源はラテン語のscientia《スキエンティア》で、「知識」という意味です。知ること、知るための活動、知って得たもの、それが科学なのです。

学問の世界では、自然現象のくわしいようすやしくみ（法則性）を明らかにする学問を「自然科学」と呼んでいます。物理学や化学、生物学、地球科学、天文学などが自然科学です。それに対して、政治学や法学、経済学などは「社会科学」、哲学《てつがく》、文学、歴史学、心理学などは「人文科学」といいます。哲学や文学がなぜ科学に入るのか、ふしぎかもしれませんが、scienceの本来の意味を知れば納得できるでしょう。

もう一つ、「学術」という言葉があります。一般には「専門的な研究として行われる学問」といった意味を持ちます。大学などで行われている自然科学・社会科学・人文科学の研究は、学術研究になります。

私は学術を「自然、人間、社会におけるあらゆる現象を調べ、そのしくみを解き明かすことをめざして、それぞれの人が知的好奇《こうき》心《しん》に基づいて自由に行う創造的な活動」だと考えています。人類はもともと、役に立つかどうかに関係なく「これはなんだ？　なぜそうなるんだ？」と問い続けながら、ほかの生き物の世界にはない「知の体系」を築き上げてきました。それが学術の源となっているのです。

要するに、私が思う「科学」のイメージは「学術」とほぼイコールなのです。「知りたいと思って調べること」、それが科学であり、学術です。「日本学術会議」や「日本学術振興《しんこう》会」といった団体の英語名でも、学術を「science」と訳しています。

## 自然科学は「桃《もも》の種」をつくる

一方、学問の世界には「応用科学」と呼ばれる分野があります。工学、農学、医学、薬学などが応用科学です。これは自然科学の研究で得られた知識を応用して、人間社会の発展に役立てようとする学問です。そして、実際に人間社会で使われる製品を作る技術研究は「技術開発」といいます。

応用科学は新たなものをつくり出す道筋やノウハウを見いだすことを主眼としています。ですから、応用科学も「知の体系」を形成する役割を果たしているので、学術の仲間です。一方、学術に対してよく使われる言葉に「科学技術」があります。これは、応用科学と技術開発を合わせた意味の言葉です。

自然科学は、応用科学に対する意味で「基礎《きそ》科学」や「純粋《じゅんすい》科学」とも呼ばれます。自然科学・基礎科学と応用科学、そして技術開発の関係は、ピラミッド型になっているといえます。一番下の土台が自然科学で、その上に応用科学があり、一番上が技術開発です。

近年、特に自然科学・基礎科学の研究に対して「それは何の役に立つの？」「税金のムダ遣《づか》いじゃないの？」という声が大きくなっています。自然科学の研究成果を発表する記者会見では、マスコミから「それは結局、何の役に立つのですか？」という質問がかならず出ます。大学等で行われている研究には国民のみなさんの税金が投入されているので、「何の役に立つの？」という疑問を持たれるのは、自然なことだと思います。

たしかに自然科学の成果は、一見すると「役に立たない」ように思えます。宇宙が誕生してすぐに急膨張《ぼうちょう》をしたとわかっても、それが私たちの日々の生活に役立つわけではありません。

でも次のページのピラミッドの図を見れば、役に立たないように見える自然科学の成果が応用科学や技術開発に結びつき、最終的に「役に立つ」ことがわかってもらえるでしょう。もしピラミッドの土台の部分を削《けず》れば、当然、上の部分も細っていく一方なのです。そして「科学者」とは、狭い意味では自然科学や応用科学を研究する職業を指しますが、広い意味ではこの三角形の中身すべて、自然科学、応用科学、技術開発の研究をする職業を科学者と呼んでいます。

大学の理学部は、おもに自然科学を研究する学部です。私が東大の理学部で研究室を持っていた時、当時の東大総長で工学部出身の吉川弘之《よしかわひろゆき》先生は、こんな話をしてくれました。

「理学部がやっているのは桃《もも》の種をつくることだ。食べられないけれど大事なんだよ」

自然科学の研究はたしかに新たな果物の「種」をつくり出すことに相当すると思い、なるほどなあと思いました。工学のような応用科学は、種をどう育てておいしい果物をつくるのか、そのノウハウを研究をします。そして科学技術で、実際においしい果物をたくさんつくり、科学の成果を社会に還元《かんげん》するのです。

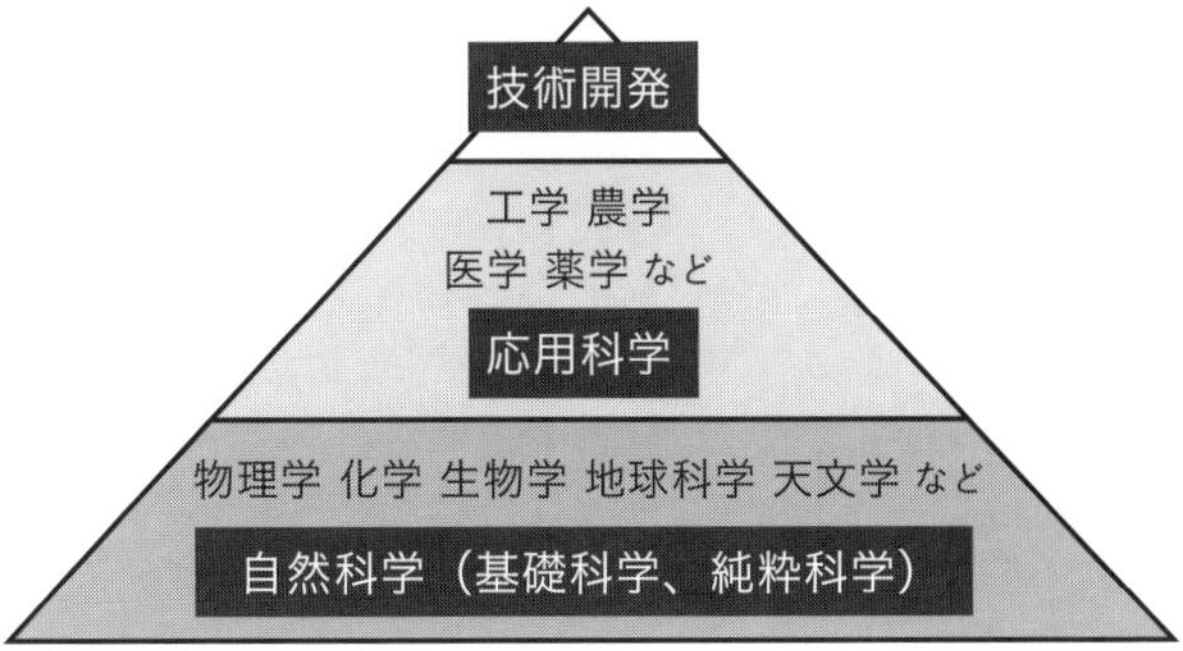


自然科学、応用科学、技術開発のピラミッド

なお、自然科学・基礎科学と応用科学は厳密に区分できるわけではありません。たとえば医学部では、人体の研究だけではなく、細胞《さいぼう》レベルの非常に細かな現象について、以前は理学部の生物学科でやっていたような研究をしています。また工学部でも、革新的な装置を開発する際には、従来の物理学で知られていなかった自然界の深いしくみを探る必要があり、理学部に近い研究が行われています。近年はこうした「境界領域」の科学研究が進み、基礎科学と応用科学とに簡単には分けられなくなっているのです。新しい学問分野である「情報科学」も、基礎と応用の分離《ぶんり》が難しいです。大学でも理学部で研究しているケース、工学部で研究しているケース、独自に情報学部を設置して研究しているケースなどが混在しています。

# 第2章

# 大学・大学院で何を身につけるか

WORLDLY WISDOM
FOR 14 YEARS OLD

# 京都大学理学部に入学

１９６４年４月、18歳《さい》の私は京都大学理学部に入学しました。初めて親元を離《はな》れ、京都市左京《さきょう》区で一人暮らしを始めました。

教養部（１・２年生を対象に一般《いっぱん》教養科目の教育を行う教養課程。現在は総合人間学部に改組）時代は、理系・文系の科目を問わず、広く勉強しました。また、般若心経《はんにゃしんぎょう》を読んだり、「人はどう生きるべきだろう」といった若者らしい悩《なや》みを持ったりもしていました。ただ、物理学に対する興味が薄《うす》れることはありませんでしたね。

京都大学では当時から、学部単位で入学試験が行われ、学科までは決められていませんでした。各学科に振《ふ》り分けられる（分属といいます）のは３年生からで、２年生の秋に志望する学科を決めます。この時、学科ごとの定員を超《こ》える志望者がいる場合は「分属試験」が行われます。物理学科を志望する学生は多かったので、分属試験に合格するために試験勉強をがんばり、無事に合格できました。

物理学科に進学後、大学４年の時、ついに湯川先生の授業を受けることができました。「物理学通論」という、物理学全体の体系を教わる授業でした。内容はかなり難しくて、大学4年生には簡単にわかるものではなかったです。でも湯川先生は学生の理解度にはあまり頓着《とんじゃく》されず、黒板に向かって絵を描《か》きながら素粒子《そりゅうし》論の説明をしたり、横を向いたまま「相対性理論の真髄《しんずい》は何か」といったことを語ったりしていました。悪く言えば独り言を話されていたような授業でしたが、湯川先生にあこがれて京大に入った私にとっては、他の先生方とは違《ちが》うカリスマ性を感じたのをおぼえています。

ですがある日、こんな事件がありました。当時は「大学紛争《ふんそう》」*1の時代で、授業中に学生運動をしている人が教室に入ってきて「今日は大事な議論をしたいので、授業をクラス討論に切り替《か》えてほしい」と先生に要求することがありました。そうした時、京大の先生は「仕方ない。しっかり議論しなさい」と言って、授業をやめてクラス討論に切り替えることを認めることが多かったのです。ところが湯川先生はある日、学生運動家がそういう申し出をしたとたん、烈火《れっか》のごとく怒ったのです。「私の授業を聴《き》きたくないなら、そういう人はすぐにこの部屋を出て行って、下の庭に集まってそこで勝手にやりたまえ」と宣言しました。結局、出て行ったのは学生運動家一人だけで、ほかの学生はみんな教室に残って湯川先生の講義を聴きました。学問に対する強い気持ちと毅然《きぜん》とした態度に、さすが湯川先生だと思いましたね。

*1　**大学紛争**｜1960年代後半、日本の大学で続発した学生たちによる紛争。ストによる長期間の授業停止、入学試験の中止、大学内建物の占拠などが行われました。

## 林《はやし》忠四郎《ちゅうしろう》先生の研究室に入る

昔も今もほぼすべての大学で、理系の大学生は4年生になると「研究室」に入ることになります。私は4年生になった時（1967年）、湯川先生の弟子で、宇宙の研究をされていた林忠四郎先生の研究室に入りました。

大学の各学科は、「研究室」と呼ばれる研究グループに分かれ、教員（教授、准《じゅん》教授、助教[*2]など）と大学院生（博士、修士）、そして学部4年生がいっしょに研究を行います。研究室を「教室」と呼ぶこともありますし、文系では「ゼミ」と呼ぶことも多いようです。研究室の名前は、私の場合だったら「佐藤研究室」というように、その研究室のリーダー（ＰＩ＝研究主宰《しゅさい》者）の名前で呼ばれることもあります。

研究室の規模は千差万別です。一つの研究室の中に教授・准教授・助教など複数の教員がいて、リーダー（ＰＩ）である教授の指示に沿って一つ（あるいは複数）のテーマを研究する研究室もあります。一方、教授や准教授がそれぞれ一人で研究室を持ち、各自で好きなテーマの研究をしながら、学科全体で大きな目標・目的に向かって進んでいく場合もあります。

理系の大学生、特に科学者・研究者を志望する人にとって、研究室選びは科学者人生を左

＊2　**教授、准教授、助教**｜大学教員の職階（職業上の階級）で、助教→准教授→教授の順番で職階が高くなります。平均年齢は、助教が約38歳、准教授が約47歳、教授が約58歳です（文部科学省の2015年調査）。

右する大きな選択《せんたく》です。その研究室の研究テーマが、自分がしたい研究と合っているのかどうかは当然大事です。そしてもう一つ、その研究室の指導教員や研究室の雰囲気《ふんいき》が自分に合うかどうか、これも非常に重要です。

指導教員（教授、准教授）も人間であり、人との「相性」というものはどうしてもあります。また、優れた研究成果を挙げている科学者ではあるものの、自分の研究にのみ没頭《ぼっとう》して、大学院生・学部生の指導に割く時間が少ない方もおられるでしょう。

今は大学のウェブサイトに各研究室のホームページが掲載《けいさい》され、どんなテーマを研究しているのかはある程度わかるので、まずは情報収集をしてください。その上で、その研究室に所属している4年生や大学院生に話を聞けば、指導教員の性格や人柄《ひとがら》、研究室の雰囲気といったものもつかめると思います。そして研究室を実際に訪問して、教員から直接話を聞き、最終的な判断をするのが良いでしょう。

## 理論研究の土台を教わった林研究室

私の恩師である林忠四郎先生の話をしましょう。

林先生は今からちょうど１００年前の１９２０年に、京都で生まれました。東京帝国《ていこく》大学

（現在の東京大学）の理学部物理学科を卒業後、1946年から京都大学の副手（助手の下のポスト）となり、湯川先生の門下に入りました。1957年に京都大学教授となり、研究室を持つようになったのです。

林先生は原子核《かく》物理学を用いた初期宇宙の研究や、星の進化の理論（太陽のような恒星《こうせい》が生まれる過程の研究）の研究で若いころから活躍《かつやく》されていました。生まれてまもない「原始星」が表面温度を変えずに収縮する段階があることを発見して、この段階は「林フェーズ」と名づけられています。私が研究室に入ったころからは、恒星の周囲で惑星《わくせい》がどのように生まれるのかを調べる「惑星系《わくせいけい》形成理論」にも力を注ぎ、のちに「京都モデル」と呼ばれる理論を発表しました。

林先生は学問に厳しい先生でした。林研究室では毎週土曜日の午後に「コロキウム」（ラテン語で討論会の意味）というセミナーが開かれていました。発表者は半年くらい前からテーマを決めて準備をしていましたが、発表の場で少しでもあいまいな発言をすると、林先生から徹底《てってい》的に指摘《してき》され、立ち往生するのは間違《まちが》いなしでしたね。関連する論文を徹底的に調べて読み込《こ》んでおかないと「そんなことも調べていないのか」と叱《しか》られました。お昼の12時から始まって、夜遅《おそ》くまで、いつ終わるかわからないようなセミナーでした。

林先生はいつも「エレメンタリー・プロセスから研究を進めよ」とおっしゃっていました。

エレメンタリー・プロセスとは、複雑な現象の根本にある、基本的な物理法則や基礎過程のことです。

天文学には「理論的研究」と「観測的研究」という二つの大きな柱があります。このうちの後者、つまり観測を行い、そのデータをくわしく解析《かいせき》するという研究も当然大事です。しかし林先生は「物理法則という武器を使って、あらゆる天文現象を予言する」ことを哲学《てつがく》としてかかげていました。自分の頭で「物理法則に従うなら、このような現象が起こるはずだ」と考えて予想したことが、何年か後に観測的証拠《しょうこ》として出てくる、これが理論物理学の王道であり、醍醐味《だいごみ》なのです。林先生は学生たちにこの指導をしっかりとしてくださり、それが私の理論研究の土台となりました。そしてのちに私自身も、自分の学生に対してそうした指導を行ったのです。

1968年にNASA・ゴダード宇宙飛行センターで講義する林忠四郎先生（写真提供：国立天文台名誉教授成相恭二氏）

## 大学院で「宇宙の始まり」の研究を始めようと思ったが……

研究室に入ると、いよいよ「科学者・研究者の卵」としてスタートすることになります。そこで大事なのは、自分の「研究テーマ」を決めることです。林研究室に入った私は、当初、特に大学4年生の時には「宇宙の始まり」について研究したいと考えていました。

じつは高校生のころから、私は宇宙の始まりについて関心を持っていました。「はじめに」でも触《ふ》れましたが、私たちの住む「世界」や「宇宙」がどのようにつくられたのかというテーマは、人間にとっての根源的な疑問です。その答えに科学、特に物理学の知見で迫《せま》ろうというのは、非常におもしろい研究だと思っていました。大学に入り、学部生として学んでいた時も、その思いは変わりませんでした。

しかも学部生の時に、宇宙論の歴史に残る大発見がありました。ビッグバン宇宙論の「証拠」が見つかったのです。それは、宇宙がまだ小さくて熱かったころに宇宙全体を満たしていた「光」でした。その光は、現在は「電波」として宇宙に満ちています。この電波を「宇宙背景放射（正確には宇宙マイクロ波背景放射、英語の略称《りゃくしょう》はＣＭＢ）」といいます。宇宙が誕生して約38万年たったころ、宇宙の温度は約３０００度で、宇宙の大きさは現在の約1

１００分の１だったと考えられています。その時に高温の宇宙に満ちていた光は、その後の宇宙の膨張《ぼうちょう》によって波長が１１００倍に引き伸《の》ばされて、現在は電波（の一種であるマイクロ波）[＊3]として宇宙に残っているのです。

ビッグバン宇宙論を唱えたガモフは、昔の宇宙が熱かったなら、その名残である電波が現在の宇宙に残っているはずだと主張していました。その電波をアメリカの二人の技師が、国際通信を行うための巨大《きょだい》なパラボラアンテナを調整している最中に偶然《ぐうぜん》発見したのです。それが１９６４年、私が大学に入学した年のことでした。民間会社のエンジニアだったアーノ・ペンジアスとロバート・ウィルソンは、１９７８年にノーベル物理学賞を受賞しました。

宇宙背景放射の発見のニュースを聞いて、私はもちろんわくわくし、宇宙の始まりの研究についての意欲をいっそう燃やしました。ところが「誤算」がひとつありました。私が大学院に進学した１９６８年になると、宇宙背景放射の発見からすでに４年も時間が経っていたので、初期宇宙について研究できることは、他の研究者たちによってひと通りやりつくされていたのです。一介《いっかい》の大学院生にすぎない私が、この分野で新たな研究テーマを見つけ出すことは非常に困難でした。

そこで私は、初期宇宙の研究とは別の分野で新たな研究テーマを探すことにしました。毎週土曜日の午前中を、私は研究室で論文を「サーベイ（調査・探索《たんさく》）」する時間にあててい

**＊3　電波（の一種であるマイクロ波）**｜光も電波も同じ「電磁波」という波で、波長（波1つ分の長さ）の違いで区別されています。光の波長は0.00038～0.00078mmくらい、電波は波長が0.1mmより長い電磁波です。

ました。京大の物理学専攻では世界中のさまざまな科学誌・論文誌を購読《こうどく》していますが、それをかたっぱしからチェックし、最新の世界の研究動向を調べていたのです。

ある日、私はいつもの論文サーベイをしていて、有名な科学論文誌『ネイチャー』を手に取りました。その中に掲載《けいさい》されていた2枚の写真が、私の目に飛び込んできたのです。

## 「かにパルサー」との運命的な出会い

それは「かに星雲」の中に見つかった天体、「かにパルサー」の写真でした。かに星雲はおうし座の領域に見える星雲（ガスやちりが集まった天体）で、海の生物のかにのような形に見えることから名づけられました。また、パルサーは非常に短い間隔《かんかく》で明滅《めいめつ》する特殊《とくしゆ》な星です。

かに星雲の中心部に奇妙《きみよう》な青い星が見えることは、その40年以上前から知られていました。その星の光を分析《ぶんせき》すると、他のどんな星とも違っていたのですが、その理由はわかっていませんでした。

『ネイチャー』に掲載された2枚の写真の一方には、かに星雲の中心部の青い星が写っていました。しかしもう一方には、星は写っていませんでした。2枚の写真は、カメラのシャッターを1秒間に何十回も開閉して撮影《さつえい》したものでした。その結果、青い星は約30分の1秒間隔で明滅する星、すなわちパルサーだとわかったのです。遠くの星を撮影する際には、普通《ふつう》はシャッターを開き続ける「長時間露光《ろこう》」をするので、まさかこんなに短い間隔で点滅《てんめつ》しているとはそれまで誰《だれ》も気がつかなかったのです。

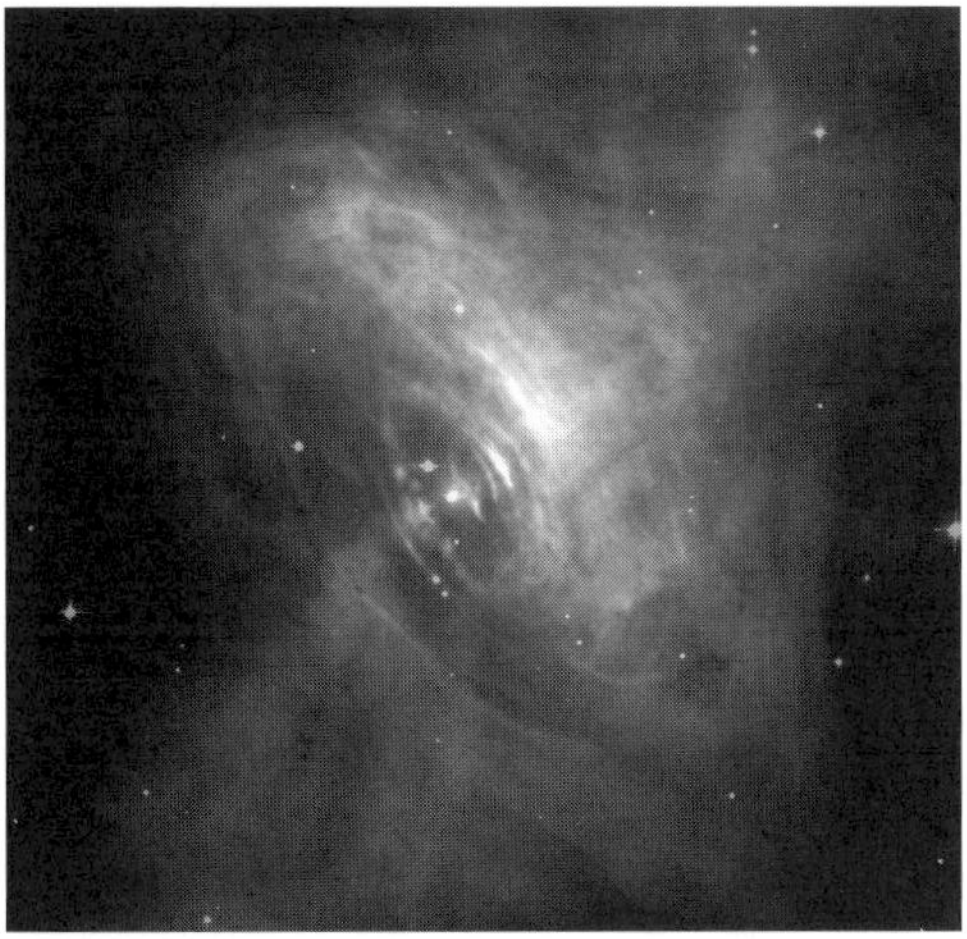

可視光とX線でとらえた「かにパルサー」の合成画像。画像中央の白い点がかにパルサーの本体。（NASA/HST/CXC/ASU/J. Hester et al. 提供）

これほど短時間で明滅するには、かにパルサーは太陽と同じくらいの重さなのに、半径が10キロメートルほど（太陽の半径は約70万キロメートル）しかない超《ちょう》高密度の星であることが理論的に示されました。これは、エベレスト山を角砂糖の大きさまでに圧縮したくらいの超高密度です。こんな星が宇宙に本当にあるのでしょうか？　じつはその可能性があることも、すでに理論的に予想されていました。それは「中性子星」という星です。

太陽よりずっと重い星は、一生の最後に「超新星（爆発《ばくはつ》）」という大爆発を起こします。

それまで暗かった星が、昼間でも見えるほどに明るく輝《かがや》くのです。かに星雲は1054年7月に観測された超新星の残骸《ざんがい》であることが知られていて、日本の平安時代の記録にも超新星の出現が記されています。そして大爆発の際には星の中心部が激しく圧縮されて、原子も壊《こわ》れて陽子や中性子、電子へとばらばらになります。そして陽子と電子がくっついて中性子になり、中性子だらけの星である中性子星ができる[＊4]のです。

かにパルサーの正体は、1秒間に約30回も回転（自転）する中性子星でした。普通の星とは違い、中性子星は星全体が光るのではなく、星の磁極（星全体が大きな磁石になっていて、そのS極とN極）からビームのように光や電波が出ます。中性子星の自転によって、そのビームが「宇宙の灯台」のように地球のほうを向いた時だけ光って見えます。これが短時間で明滅するパルサーなのです。

理論的には予想されていたものの、まだ観測されていなかった中性子星の証拠が見つかったことを示す2枚の写真に、私は心底感激しました。そしてこのときから私は、超新星爆発が起こってから中性子星ができるまでの過程を修士論文にしようと決意しました。大学院修士課程1年の冬のことでした。

まずは、中性子星形成の基礎プロセスとして、原子核が溶けて中性子になる過程を調べ始めました。京大の物理学専攻、特に宇宙や原子核、素粒子の研究を進めている部門は他の研

**＊4　中性子星ができる**｜太陽の40倍以上重い星が超新星爆発を起こすと、星の中心部が極端に圧縮されて、中性子星ではなくブラックホールができると考えられています。

究室との壁がほとんどなく、当時の原子核理論の助手の方に相談してアドバイスをもらい、また基研の原子核理論の教授にも相談に乗っていただきました。その結果、原子核が溶けて中性子になる過程の理論的モデルを作ることができ、それを修士2年7月の「若手夏の学校」で発表することができました。この研究は基研が発行している「素粒子研究」にも収録されています。

## 幸運の重ね合わせ・ベーテ先生との出会い

研究テーマに悩《なや》んでいた時、かにパルサーが発見され、自分の研究テーマを見出し、研究をスタートできたことは、私にとって本当に幸運でした。そしてさらなる幸運が重なります。それは原子核物理学の世界的権威《けんい》であるハンス・ベーテ先生との出会いでした。

ハンス・ベーテ先生（ロスアラモス国立研究所提供）

ベーテ先生はドイツ生まれの物理学者です（１９０６～２００５年）。ユダヤ系移民であったため、ナチスの迫害《はくがい》を逃《のが》れてイギリス、そしてアメリカへ

Astron. & Astrophys. 7, 279—288 (1970)

# Nuclei in Neutron Matter

H. A. Bethe
Cornell University, Ithaca, N. Y.

G. Börner
Max-Planck-Institut für Physik und Astrophysik, München

Katsuhiko Sato
Kyoto University, Kyoto

Received March 25, 1970

The equation of state at densities somewhat below nuclear is re-examined. The results are in qualitative agreement with previous authors, but there are quantitative differences. Up to $\varrho_1 = 2.8 \cdot 10^{11}$ g/cm³ there are neutron-rich nuclei and electrons; between $\varrho_1$ and $\varrho_2 = 4.34 \cdot 10^{13}$ g/cm³ there is in addition a gas of free neutrons. At $\varrho_2$, nuclei disappear rather suddenly, and are replaced by protons. As long as nuclei exist, their mass and charge increase monotonically with $\varrho$; both $Z$ and $A$ are definite functions of $\varrho$.

*Key words:* neutron star — nuclei

## 1. Introduction

It is now generally agreed that pulsars are neutron stars; therefore the equation of state of matter around nuclear densities is of considerable interest. Close to nuclear density, the work of Nemeth and Sprung (1968) is the most satisfactory, because (a) it uses a nucleon interaction, that of Reid (1967), which agrees very well with nucleon scattering data and (b) it uses standard nuclear matter theory to derive the behaviour of neutron matter from the two-nucleon interaction. Some other calculations using similar methods give similar results, but still other calculations, both old and new, use either unsatisfactory nucleon interactions or too crude approximations to many-body theory.

At high densities (more than about 0.3 nucleons/fm³ or $5 \cdot 10^{14}$ g/cm³) the theory is difficult because the interaction between nucleons at short distances is essentially unknown; no serious attempt to treat this interaction has been made, but Cohen *et al.* (1969) have obtained a preliminary equation of state, treating the statistical equilibrium between various baryon states without interaction, and have applied it in an interesting paper to the calculation of the structure of neutron stars.

The regime of subnuclear densities (about $5 \cdot 10^{11}$ to $5 \cdot 10^{13}$ g/cm³) is of special interest because of Ruderman's (1969) suggestion that the nuclei present may form a crystal lattice, and that a "break" in that lattice may be the explanation of the sudden change of period of the Vela pulsar, PSR—0833—45. This regime was already treated by Harrison *et al.* in 1964, and more quantitatively in 1969 by Langer *et al.* There is agreement that there are three physical states of matter, as follows:

1. up to a certain density $\varrho_1$, we have neutron-rich nuclei and a degenerate electron gas. The charge $Z$ and mass $A$ of the nuclei is determined by equilibrium between $\beta$ emission and absorption;

2. between $\varrho_1$ and a much higher density $\varrho_2$, we have free neutrons, neutron-rich nuclei and electrons in equilibrium;

3. for $\varrho > \varrho_2$, the nuclei disappear, and we have a small number (one or a few percent) of protons imbedded in the neutron sea (and, of course, electrons). This is the regime treated by Nemeth and Sprung (1968). A still higher density, muons appear (Nemeth and Sprung, 1968), and later hyperons etc. (Cohen *et al.*, 1969). We shall not be concerned with these effects.

Langer *et al.* (1969) have already recognized the important physical features of these regimes. Our excuses for treating this subject once more are as follows:



ベーテ先生およびベルナーさんとの共著論文（1ページ目）

と渡《わた》りました。1939年、太陽の膨大なエネルギーは「核融合反応《かくゆうごうはんのう》」によって生み出されていることを明らかにするなど、原子核物理学の分野で数々の業績を挙げました。そして1967年にはノーベル物理学賞を受賞されたのです。

そんなベーテ先生は、私が修士2年だった1969年の秋、湯川先生の招きで京都大学の基礎《きそ》物理学研究所（基研）に客員教授として来日されたのです。ベーテ先生の娘《むすめ》さんが同志社大学で教師をされていたこともあり、ベーテ先生は翌年の春まで滞在《たいざい》されました。

ある日、林研究室で研究している内容をベーテ先生に紹介《しょうかい》する機会が設けられました。林先生が自身の研究内容を話されるとともに、研究室の代表の方が研究室で行っている研究テーマの概略《がいりゃく》を紹介しました。その中で私が取り組んでいる「原子核の中性子への溶解」の研究も簡単に説明されました。するとベーテ先生は私の研究にとても興味を持たれ、「いっしょに研究して共著論文を書かないか?」と提案してくれたのです。

さらに、当時基研にポスドクとして来ていたドイツのゲルハルト・ベルナーさんという若い研究者も加わって、三人で共同研究をすることになりました。その結果、中性子星の表面から中心に向かって普通《ふつう》の原子核が溶けて中性子に変わっていく過程を明らかにする論文を書くことができました。この研究は、超新星爆発で星の内部の中心核（鉄の原子核でできている）が溶けて中性子だけでできた星、すなわち中性子星になっていく研究の先駆けとなりました。ベーテ先生による論文修正は大幅《おおはば》なものでしたが、非常に説得力のある論文となり、私にとって大変勉強になりました。そしてこれは私の修士論文にもなったのです。

修士2年の大学院生がノーベル賞受賞者と共同研究ができるというのは、この上ない幸運でしたね。論文を日本物理学会[＊5]のその年の年次大会で私が発表することもできて、それもすばらしい思い出になりました。

## 研究に苦しんだ博士《はくし》課程時代

1970年、24歳の私は大学院の博士課程に進学しました。

大学院は修士課程（前期博士課程）と、博士課程（後期博士課程）に分かれています。前者は2年間、後者は3年間にわたって専門分野の研究を行います。

＊5　**日本物理学会**｜日本の物理学者の団体組織。「学会」については第４章で説明します。

理系の大学院に進んだ人は、修士課程を終えたあと、民間企業《きぎょう》などに就職するか、それとも博士課程に進むかの選択《せんたく》をすることになります。科学者・研究者になりたいと思う人のほとんどは、博士課程に進むことを選ぶと思います。進路選択についての話は、あとでもう少ししましょう。

当時の私は、博士課程に進むことに迷いはありませんでした。宇宙の研究をする科学者になりたかったですし、修士課程でノーベル賞学者と共著論文を書けたことは、私にとって大きな自信となっていたからです。

ところが、博士課程に進むと一転して、私は研究に苦しむことになりました。

最初に取り組んだのは、超新星爆発によって中性子星ができるようすを計算によって示す、コンピュータ・シミュレーションによって再現するということでした。

シミュレーションのかぎを握《にぎ》っていたのは「ニュートリノ」という粒子《りゅうし》でした。ニュートリノは「電気を持たない電子」のようなものであり、あらゆる物質をすり抜《ぬ》けてしまう「幽《ゆう》霊《れい》粒子」です。超新星爆発の際には、発生する膨大《ぼうだい》なエネルギーの99パーセントがニュートリノに変わると理論的に考えられていました。でも、これは奇妙《きみょう》なことです。ニュートリノは幽霊粒子なのですから、そのまますり抜けてしまい、他の物質とぶつかりません。だとすると「爆発」という現象にならない、つまり超新星爆発が起こらなくなりますし、爆発によって星の中心部が圧縮されて中性子星ができることもないはずです。でも宇宙には実際に超新星爆発が起こっていて、中性子星（パルサー）も見つかっています。だから、何かがおかしいのです。

その謎《なぞ》を解き明かそうと、私はコンピュータ・シミュレーションに挑《いど》みました。ちょうどそのころ、京都大学に「大型計算機センター」という組織ができて、そこのコンピュータを使って計算を始めました。しかし、これがなかなかうまくいきませんでした。アメリカでも超新星爆発のシミュレーションを行った研究グループがあったのですが、彼《かれ》らは高性能のコンピュータを使って計算をしていました。それに比べて、私が使っていたコンピュータでは能力に限界があり、うまく研究が進まなかったのです。

博士2年から3年にかけては、本当に苦しい時期でした。当時のコンピュータは、記録媒《ばい》体《たい》に「パンチカード」を使っていました。厚手の紙に穴を開けて、その位置や有無から情報を記録するもので、今の「マークシート」に少し似ています。当時は毎日、計算のための情報をパンチカードに打ち込み、１０００枚や２０００枚のカードを持って計算機センターに通い、カードリーダーに読ませてコンピュータに計算させていました。計算結果は翌日の朝などに出るのですが、満足できる結果はまったく得られませんでした。少なくとも1年半は、計算機センターに通う生活をしていましたね。苦しい日々でしたので、企業に就職したほうがよかったのではないかと思ったほどでした。

## 超新星爆発での元素合成の研究

このままでは博士論文が書けなくなるので、途中《とちゅう》から別のテーマの研究も始めました。それは「超新星爆発での元素合成」というものでした。

私たちの体はおもに、炭素や窒素《ちっそ》、酸素などの元素でできています。これらの元素は、星（恒星）の内部で核融合によってつくられた（合成された）ものです。そして超新星爆発によって元素が宇宙空間にまき散らされ、その元素によってふたたび新しい星々がつくられます。元素の一部は恒星の周囲にできる惑星の材料になり、それがやがて生命の材料となると考えられています。つまり私たちの体は「星のかけら」でできているのです。元素がどのように合成されるのかを調べることは、宇宙の歴史（宇宙の進化）を明らかにする上で非常に大事なことです。

星の内部では、核融合反応によって少しずつ重い元素が合成され、最後は鉄がつくられます。鉄は核融合をしないので、鉄よりも重い元素、たとえば金や銀、ウランなどは星の内部では合成されず、超新星爆発や中性子星同士の合体などの非常に激しい天文現象によってつくられます。

星の内部での元素合成は、林先生の専門であり、すでにくわしく研究されていました。そこで私は、超新星爆発での元素合成の研究に取り組んだのです。

鉄より重い元素ができるためには、鉄の原子核に中性子がたくさんくっつき、それが陽子に変わるという反応が起こる必要があります。こうした過程を専門用語で「rプロセス」といいます。このrプロセスについてくわしく研究したいと思いましたが、林先生が原子核の研究から少し離れていたことなどもあって、周囲に相談できる人がいませんでした。そこでこの分野にくわしい人を探すと、早稲田《わせだ》大学の山田勝美《まさみ》先生という方が見つかりました。山田先生に連絡《れんらく》を取り、自費で東京の先生のもとを訪れて、1週間ほどかけて先生や多くの院生と議論しながら、原子核が中性子をつかまえて「中性子過剰核《かじょうかく》」になるようすなどを学んだのです。

こうして新たな知見を得て京都に戻《もど》った私は、rプロセスの研究に励《はげ》みました。超新星爆発の際には、ガスが爆発的に飛び散りながら広がるので、ガスの密度や温度がどんどん下がっていきます。そうした状況下《じょうきょうか》でrプロセスがどのように進み、鉄より重い元素が合成されるのかという「ダイナミック（動的な）rプロセス」のようすを明らかにすることができました。これが私の学位論文（博士論文）になったのです。

研究はうまくいくこともあれば、そうでないこともあります。研究テーマをどのように選べばいいか、研究がうまくいかない場合にどうすればいいのか、といったことについては、次の第3章で話しましょう。

## 大学・大学院時代に何をしたらいいか

私の大学（学部）時代、そして大学院時代の話をしてきましたが、科学者になるには大学・大学院時代に何をしたらいいのか、私が思うことを紹介します。

まずは学部での4年間ですが、これは「科学者としての基礎固めをする準備期間」になります。物理系の分野であれば、物理学の基本をしっかりと学び、身につけることが必要です。基礎なくして研究はけっしてできません。

同時に大切なことは、モチベーションをきちんと保つことです。学部での勉強は基礎的なものとはいえ、簡単であるとは限りません。たとえば前にも触れましたが、一般相対性理論を理解するためにはリーマン幾何学《きかがく》を始めとする難解な数学を習得しなければなりません。科学者になるには数学が得意である必要はない、概念《がいねん》さえ理解できていれば良いと前に言いました。それでも一定レベル以上の理解は必要で、そのためにはかなりの努力が求められます。勉強にくじけそうになったり、怠《なま》けそうになった時に必要なのは、「自分は絶対に科学者になるんだ」というモチベーションです。理論物理学者になるために、リーマン幾何学をマスターして一般相対性理論を理解するんだと、自分を奮い立たせることが求められます。モチベーションが弱いと、理系の学部の勉強にはとても耐《た》えられないでしょう。

さらに学部の４年間は、自分が将来進みたい分野に限らず、さまざまなことに興味を向けてほしいと思います。文理を問わず、さまざまな解説書を読んでおき、知識の幅《はば》を広げていくことが、科学者としての将来にかならず役に立ちます。

次に、大学院の修士課程は「科学者・研究者になるためのトレーニングをする期間」になります。修士課程での研究テーマは、多くの場合は研究室の指導教員から与《あた》えられるものになります。私は修士論文のテーマを自分で選びましたが、林研究室でもそうした人はあまりいませんでしたね。私が東大で研究室を持った時も、修士の院生には研究テーマを私が選んで与えていました。

ただし、テーマは指導教員からもらったとしても、「このテーマについて、わかっていないことは何か」は自分で考えなければなりません。そのテーマの中で自分の新たな研究課題を見つけて、それをどう解決すれば良いかを考える、つまり「問題発見能力」と「問題解決能力」を身につけることが大事です。

優秀《ゆうしゅう》な学生によくあることですが、他の研究者の論文を読んで「こういうことがわかったのだな」と理解して、それで終わってしまう人がいます。それでは困るのです。そこから進んで「まだわかっていないことは何か」そして「どうすればそれがわかるのか」を考えること、それが科学研究を進める上でもっとも大事なことになります。

そして大学院の博士課程では「一人前の科学者・研究者になるための総仕上げの期間」になります。東大時代、私は研究室の院生に向けて「修士では『小さな城』を持ちなさい。博士では城を拠点《きょてん》に出撃《しゅつげき》しなさい」という指導をしていました。「小さな城」とは、極めて狭《せま》い分野であっても、そこについては指導教員も超《こ》えるような専門分野という意味です。博士課程では、この城を拠点として、一人前の科学者としてデビューできるようになることが求められるのです。

博士課程修了《しゅうりょう》に必要な単位を取得した上で、博士論文を書いて認められると、博士号（ドクター）という学位が授与《じゅよ》されます。これは「課程博士[*6]」といいます。博士号とは、一人前の研究者として研究能力を認められた証しであり、研究者の「免許《めんきょ》証」だと言えます。ただし、博士号を持っていなくてもすばらしい業績を挙げた科学者はたくさんいます。博士号の取得についての話は、次の第3章でもいたします。

＊6　**課程博士**｜博士課程を修了していなくても、同等以上の学力を有することを確認された上で、博士論文を提出して大学院の審査に合格すれば、学位を取得できます。これは「論文博士」と呼ばれます。

## 大学院で身につけた能力は分野を超えて力に

そして前にも書きましたが、大学院で身につける問題発見能力や問題解決能力は科学者になる人だけに必要なものではありません。

　理系の学生は、科学者・研究者をめざさず、民間企業等への就職を考えている人でも、学部を終えて卒業するのではなく、大学院へ進学する割合が高くなっています。文部科学省の調査[*7]によると、理学系・工学系の大学卒業者のうち、約4割が大学院へ進学しています。別の調査[*8]によると、特に国公立大学では進学率が高く、東大や京大など旧帝大《きゅうていだい》クラスでは9割近くの学生が進学し、その他の国立大学も7割程度という高い進学率になっています。

　そして採用する民間企業側でも、学部卒（学士）ではなく、修士以上の人を採用したいという流れが顕著になっています。これも文部科学省の調査[*9]では、民間企業に採用された研究開発者のうち、学士は2割弱であり、修士が約5割を占《し》めています。ですから理系の学生は「就職するためには少なくとも修士号を、そして研究者をめざすなら博士号を」と考えて、大学院へ進学するのです。

　修士や博士を修了した理系の学生の就職先は、大学や研究機関以外では、民間企業、官公

**＊7　文部科学省の調査**｜「学校基本調査（2019年）」より。

**＊8　別の調査**｜『2020年用　大学の真の実力　情報公開BOOK』（旺文社）より。

**＊9　文部科学省の調査**｜「民間企業の研究活動に関する調査報告（2018年）」の2011～2018年度の数値。

庁等、国際機関などさまざまです。そうした職場での仕事は、自分が大学院で研究してきた分野とは直接関係しない場合も多くなります。大学や研究機関では研究テーマをかなり自由に選べますが、たとえば民間企業では、企業の経営戦略などに沿った研究テーマを「上から与えられる」ことになります。そのテーマは、それまで自分が研究してきた分野とはまったく違うものになることも少なくないのです。

　ですが大学院での科学研究の経験は、そうした場合にもかならず役立ちます。なぜなら、科学研究を進める上で身につけた「問題発見能力」や「問題解決能力」は、どんな仕事を行う上でもみなさんの力となるからです。「解決できていない問題は何か」「それをどうすれば解決できるのか」を考えて解決策を実行すること、これが「仕事をする力」の根本なのです。会社での仕事だけではなく、地域社会の中で人々と関わって生きていく上でも、こうした能力がつねに求められます。

　東大の私の研究室で学んだ学生の中にも、修士や博士で卒業して研究者にならなかった人がたくさんいます。彼らは金融《きんゆう》機関や保険会社、民間のシンクタンク（政策立案やコンサルティングなどを行う研究機関）などで活躍《かつやく》しています。アニメ会社をつくって成功した人もいますね。

　ですから私としては、科学者になる・ならないにかかわらず、理系の人はぜひ大学院で学んで、問題発見能力・問題解決能力を身につけてほしいと思います。

## 生涯《しょうがい》の友人をつくろう

この章の最後にもうひとつ、大学・大学院時代にぜひともしてほしいことをお話しします。それは「生涯の友人をつくること」です。

科学者というと、一人でこつこつと研究をしていて、人付き合いが悪い、あるいは苦手な人が多いというイメージを持つ人も多いでしょう。そして実際に、そうした傾向《けいこう》はあるかもしれません。

でも科学者にも、腹を割って何でも話し、本音で付き合える友人は当然必要です。話す内容は、研究のことも、それ以外のことも、何でもです。そしてそうした友人は、お互《たが》いに若く「無名」のうちに知り合った場合に得られるものであり、友情は生涯続くものになります。

30歳、40歳になって、お互いに社会的な地位や立場ができてしまうと、何でも話せるような関係を結ぶことはなかなかできませんね。「君の考えは違うと思うよ」といった意見を心おきなく言い合えたり、たわいもない冗談《じょうだん》を口にできる友人をつくれるのは、まだ何者にもなっていない若人だけの特権です。

ゲルハルト・ベルナーさんと

私の生涯の友人の一人は、修士の時に共同研究をしたゲルハルト・ベルナーさんです。当時、ドイツのマックス・プランク研究所から基研に来ていたベルナーさんは、ドイツに戻り、現在はミュンヘン大学の名誉教授を務めています。お互いに「ゲルハルト」「カツ」とファーストネームで呼び合い、ミュンヘンと東京のそれぞれの自宅を互いの家族を連れて訪問し合うなど、半世紀以上にわたって友情を結んできました。

　ベルナーさんがまだ基研にいたころ、同じく基研に来ていたアメリカ人のボスラーさんという若い研究者とともに、高知県で開催《かいさい》された学会に出席して研究発表をしたことがありました。そして学会が終わったあと、３人で徳島にある剣山《つるぎさん》に登りました。春山でしたが、雪はまだところどころ残っていました。山頂近くのお寺の一室を山小屋のようにして泊《と》めてもらい、雪道を歩いて剣山の頂上まで登ったのです。山を登りながら研究の話などもしました。剣山からの帰りには、坂出の私の実家に二人に泊まってもらいました。すべてが忘れられない思い出です。

他にも、林研究室やコペンハーゲンのＮＯＲＤＩＴＡで出会い、生涯の友人になった同世代の研究者がたくさんいます。若い時代につくられたネットワークは一生の財産になり、科学者人生を送る上でも大きなメリットがあるのです。

## 大学院時代に妻と知り合い、結婚《けっこん》もした

それから、私は博士課程３年の時に結婚しました。妻は京都市内のミッション系の中学・高校で数学の教師をしていました。私は博士課程１年の時、そこでアルバイトの講師をするようになって妻と知り合い、３年生の時に結婚式を挙げたのです。

私は27歳になっていましたが、身分は博士課程の学生であり、安定した収入を得ていたわけではありません。そんな私との結婚に、妻の両親は当初、やはり反対されました。ですが最後には認めてもらい、結婚できたのです。

科学者といえども、研究することだけが人生のすべてではありません。研究や仕事以外でも、人生を充実《じゅうじつ》させることはもちろん可能です。友人をつくる、恋愛《れんあい》をする、趣味《しゅみ》を持つといった、さまざまなことが人生を豊かにしてくれます。

先ほどベルナーさんたちといっしょに剣山に登った話をしました。登山は私の学生時代の

妻とハワイ・マウナケア山頂の「すばる望遠鏡」などの巨大ハイテク望遠鏡群を背景に（2014年10月）

趣味の一つで、毎年日本アルプスなどに登ったものです。

　また女性の科学者・研究者の場合、日本では昔も今も「家庭との両立」の問題が課題として挙げられます。もはや家庭のことをみんな女性に任せるような時代ではありませんので、仕事と家庭との両立は男女がともに取り組む課題です。その解決は個人の努力だけでは難しく、社会的な環境《かんきょう》を整備し、人々の意識を変えていくことが求められるでしょう。その上で、科学者としても、家庭人としても、一個人としても、各自が工夫することで、豊かな人生を送ることは十分にできるということを、若いみなさんに強くアピールしたいと思います。

# COLUMN 2 湯《ゆ》川《かわ》先生の思い出

## 湯川先生と「混沌《こんとん》」

この章の冒頭で、学部の４年生時に湯川秀樹《ひでき》先生の講義を聴《き》いた話をしました。大学院進学後も、湯川先生には何度もお目にかかりました。

湯川先生は「混沌会」というセミナーを開催《かいさい》されていました。自分が聞きたいテーマを選んでくわしい人を呼び、研究所の教授たちといっしょに聞くという、私的な勉強会です。私はポスドクのころに、「太陽ニュートリノ問題」について話してほしいということで、セミナーに呼ばれました。

太陽ニュートリノ問題とは、太陽から大量のニュートリノが出ているはずなのに、地球では理論値の半分くらいしか観測されないのはなぜか、という問題です。当時は二つの説が考えられていました。一つは、太陽の中心部の温度が予想よりも低いなどの理由で、ニュートリノが出にくいのではないかという説。もう一つは、ニュートリノが別のタイプのものに「変身」しているのではないかという説です。私は湯川先生の前で二つの説を紹介して、どちらが正しいのかはわからないと正直に話しました。湯川先生は大変興味を持って話を聞いてくれたのをおぼえています。

太陽ニュートリノ問題は結局、ニュートリノが別のタイプに変身する「ニュートリノ振《しん》動《どう》」という現象が原因でした。ニュートリノ振動を発見して2015年のノーベル物理学賞を受賞したのが、東京大学宇宙線研究所所長の梶田《かじた》隆章《たかあき》さんです。

ちなみに「混沌会」という名前は、もちろん湯川先生が自分で付けたものです。混沌とは「もやもやしたもの、状態」のことで、反対語は「秩序《ちつじょ》」です。湯川先生は秩序よりも混沌が好きだったのです。

混沌とはもともと、中国の古代神話に出てくる神の一つで、まさに混沌状態を司る神でした。また、古代中国の古典『荘子《そうし》』には「目・鼻・耳・口の七つの穴がない混沌という名前の帝《みかど》」の寓話《ぐうわ》が載《の》っています。湯川先生は中国の文化や古典に精通していた方で、混沌を「素《そ》粒子《りゅうし》が飛び回っている世界」と表現したりもされています。

## 物理法則はなんと美しいことか!

湯川先生は中国の古典の言葉を、色紙などによく書かれていました。その中で私が特に好きな言葉があります。それも『荘子』の言葉で、次のようなものです。

「原天地之美 而達萬物之理（天地の美にもとづき 万物の理に達する）」

つまりこの世界の「美」の中から、「物の理（法則）」に到《とう》達《たつ》できるということです。

私はいつも、物理法則はなんと美しいのだろうと思っています。相対性理論も本当に美しいです。きわめて単純な原理、たとえば「光の速度はどんな運動をする人が見ても一定になる」という「光速度不変の原理」から出発して論理を組み立

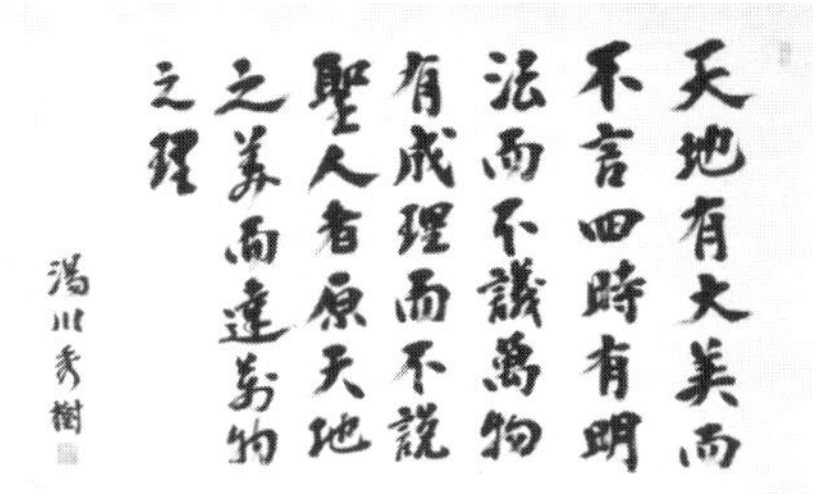


湯川先生が書かれた「原天地之美而達萬物之理」の書（写真提供：大阪大学　湯川記念室）

てると、誰《だれ》も想像しなかった時間や空間の本当の性質が導きだせるのです。湯川先生も同じようなことを考えていて、荘子のこの言葉を気に入られていたのかなと思いました。

湯川先生は１９８１年９月８日に74歳で逝去《せいきょ》されました。京都の知《ち》恩院《おんいん》で執《と》り行われたご葬儀《そうぎ》で、私は香典を受け付ける係をしていました。ご葬儀には科学界からはもちろん、他の分野からも有名な方がたくさん弔問《ちょうもん》に訪れました。作家の司《し》馬《ば》遼太郎《りょうたろう》さんもいらしたのですが、最初はどなたかわかりませんでした。記帳の際に縦線をすーっと長く下に引かれて、「え、何を書くのだろう？」と思ったら、それが「司」の字になって「ああ、司馬遼太郎さんなんだ」とわかりました。そんな思い出もあります。

私は湯川先生の弟子だった林先生の弟子なので、湯川先生の「孫弟子」に当たります。今の日本の理論物理学者の多くは、湯川先生の弟子・孫弟子・ひ孫弟子であると言っても過言ではないでしょう。湯川先生にあこがれ、湯川先生のもとで学んで本当によかったと思っています。

# 第3章

# 研究はどのように行うのか

WORLDLY WISDOM
FOR 14 YEARS OLD

# なぜ「単位取得退学」をしたのか

１９７３年3月、27歳《さい》の私は京都大学大学院理学研究科物理学専攻《せんこう》博士課程を「単位取得退学」しました。

退学と聞くと「え、なぜ？」と思う人もいるでしょうね。単位取得退学とは「博士課程を修了《しゅうりょう》するのに必要な単位は全部取ったが、博士号は取得していない状態で、大学院を離《はな》れる（退学する）」というものです。一般《いっぱん》的な「中途《ちゅうと》退学」、つまり規定のカリキュラムを終えずに退学するものとはまったく違《ちが》います。

なぜこうなったのかというと、当時の京大の大学院理学研究科（理学部の大学院）には「博士課程を修了しても、すぐには博士号を与《あた》えない」という慣行があったためです。今では他の大学と同様に、博士課程修了後すぐに博士号をもらえるのですが、なぜか当時はそうした奇妙《きみょう》な習わしがありました。仕方ないので私も1年待ち、翌１９７４年に博士号を取得して「理学博士」となり、経歴も「博士課程修了」と書けるようになりました。

なお、現在でも「博士課程単位取得退学」や「博士課程満期退学」という経歴の人がたくさんいます。こうした人たちの多くは、博士課程の単位はすべて取得したものの、博士論文の審査を受けずに大学院を離れた人です。博士論文の審査《しんさ》には時間がかかることも多いので、就職が決まっている場合などは論文審査を待たず（あるいは論文を提出せず）に退学するのです。

単位取得退学や満期退学の人は、修士までの人より専門的な知識を身につけていると見なされ、日本では博士課程修了者と同等に扱《あつか》われることもあります。一方、単位取得退学は日本独自の制度なので、海外の大学からは「博士課程を修了できなかった人」として修士卒と同じ扱いになることが少なくありません。そのため、海外の大学や研究機関で研究を続けたいと思う人には不利になります。

## 就職に苦労したポスドク時代

晴れて博士号を取得できたのですが、昔も今も若い科学者を悩《なや》ませる「就職問題」が当時の私の前にも立ちふさがりました。

博士号を取った１９７４年、私は京都大学基礎《きそ》科学研究所（基研）に移って研究を続けることになりました。でもこれは、基研の教員や職員として採用されたのではなく、「無給」で研究を続けるという形でした。

博士号を取得したものの、大学教員などの正規の職に就けないまま研究を続けている人のことを、私の時代には「オーバードクター」や「博士浪人《ろうにん》」と呼んでいました。現在は「ポスドク（ポストドクター、博士研究員）」と言います。

正規の職には就けませんでしたが、その代わりに私は前年から日本学術振興《しんこう》会の「奨励《しょうれい》研究員（現在の名称は特別研究員）」になっていました。これは若い研究者を日本学術振興会という文部省（現在の文部科学省）所管の組織が一時的に支援して、給与《きゅうよ》と研究費を支給する制度です。要するに、国の税金で正規の職に就けていない若い研究者をサポートしてくれるのです。

したがって生活費や研究費に困ることはなかったのですが、不安定な身分であることには変わりありません。ポスドクの期間は、31歳で京大の助手（現在の助教）に採用されるまで3年半以上も続きました。当時は大学教員の募集枠《ぼしゅうわく》が少なく、研究室には学生よりもポスドクのほうが多い状態でした。

私にとってつらい時期でしたが、博士課程時代に結婚《けっこん》した妻が私をサポートしてくれて、今でも本当に感謝しています。妻は数学の教師を続けていて、娘《むすめ》が生まれると、朝は私が娘を保育園に連れていきました。冬の京都の寒い季節は、子どもを背負った上から着る「ねんねこばんてん」で保育園に行っていました。少々恥《は》ずかしい恰好《かっこう》でしたが、冬はこれが一番でしたね。

不遇《ふぐう》なポスドク時代でしたが、このままではいけない、研究成果を出して職を得ようと、まさに「背水の陣《じん》」で研究に取り組みました。そうした中で、私の研究人生でインフレーション理論に次ぐ重要な成果だと思っている「ニュートリノのトラッピング理論」を発表することができたのです。

## 超《ちょう》新星爆発《ばくはつ》が起こるメカニズムを突《つ》き止める

この理論は、博士課程時代に取り組んでいた「超新星爆発によって中性子星ができるしくみを調べる」というテーマから出てきたものでした。以前も説明しましたが、超新星爆発の際には、放出されるエネルギーのほとんどが「ニュートリノ」という幽霊粒子《ゆうれいりゅうし》になると考えられていました。でもそれならば、ニュートリノは他の物質をすり抜《ぬ》けるので、超新星爆発が起こらず、中性子星もつくられないはずなのです。

従来の理論のどこがおかしいのか、私はどうしても突き止めたいと考えました。そのためにはニュートリノという素粒子《そりゅうし》について、もっと勉強しなければなりません。最新の素粒子の理論を学ぼうと、当時隣《となり》の研究室で助手をされていた益川敏英《ますかわとしひで》さんに相談しました。すると益川さんは「ワインバーグ－サラム理論」[*1]という最新理論の存在を教えてくれたのです。

益川さんは、湯川先生や朝永《ともなが》振一郎《しんいちろう》先生とともに日本の素粒子物理学をリードした坂田昌一《しょういち》先生の研究室（名古屋大学）で素粒子論を学びました。そして坂田研究室の1年後輩《こうはい》で、当時やはり京大理学部で助手をしていた小林誠さんとともに「小林・益川理論」を１９７３年に発表しました。これは素粒子の一種であるクォーク（陽子や中性子をつくる素粒子）が6種類あることを予言する理論でした。当時は3種類のクォークしか見つかっていませんでしたが、その後残りの3種類がすべて見つかり、予言の正しさが認められたのです。その功績により、益川さんと小林さんは２００８年にノーベル物理学賞を受賞しました（「自発的対称《たいしょう》性の破れ」の発見など、素粒子物理学で多大な功績を挙げられた南部《なんぶ》陽一郎《よういちろう》先生との共同受賞でした）。

益川さんに教えてもらった最新理論を、私は独学で勉強しました。すると、この理論を元にして考えた場合、何でもすり抜けるはずのニュートリノが、超新星爆発の際には星の中心部分に短時間閉じ込《こ》められる、わな（トラップ）に捕《つか》まった状態になることがわかりました。計算すると、それはわずか十数秒ほどのことでした。閉じ込められている間にニュートリノは星の中心部で何度も反射をくり返し、圧力が高まっていきます。それが星を外側に押《お》し出す力となり、超新星爆発が起こるという理論です。

＊1　**ワインバーグ-サラム理論**｜アメリカの物理学者ワインバーグとパキスタンの物理学者サラムが独立に提唱した理論。理論の発展に貢献したアメリカの物理学者グラショーとともに1979年のノーベル物理学賞を受賞しました。

この「ニュートリノのトラッピング理論」を私は１９７５年に発表しました。論文は高い評価を受けることができて、本当にうれしかったです。ちなみに論文を書く際には妻にもずいぶん検算をしてもらいました。数学教師だった妻は、微分《びぶん》や積分の計算が私よりずっと得意なのです。妻にはやはり頭が上がりませんね。

## 徹底《てってい》的に研究し、プロとしての自覚を持とう

１９７６年12月、31歳の私はようやく京都大学理学部の助手になることができました。念願の職を得ましたが、もちろんこれは「ゴール」ではありません。科学者としての人生は、ここからが本格的な「スタート」なのです。

科学者に限らず、どんな職業でも、その世界で「一流」になるのは簡単ではありません。私が考える「一流の科学者になるために必要なこと」を四つ、お話ししましょう。

第一は「おもしろいと思ったら徹底的に研究すること」。

私の研究分野なら、宇宙の始まりや超新星爆発、中性子星などについて「ふしぎだな、おもしろいな」と思ったら、関連する論文を徹底的に読み込みます。何がわかっていて何がわかっていないのかを知り、わかっていないことを知る方法を考える。そうやって興味やモチ

ベーションを高め、さらに研究を続けるのです。興味を持つ↓徹底的に調べる↓知らないことを知る・解き明かす↓さらに徹底的に調べるというサイクルをどんどん回すことが大事です。

第二は「プロとしての自覚を持つこと」。

現代の科学者はみな、科学研究を仕事として行っています。大学の教員であれば、国からの税金で給与と研究費をまかなってもらい、仕事として科学研究をしています。税金を使わせてもらう以上、それだけの価値がある成果を出すんだという覚悟《かくご》が必要です。「明日やればいいだろう」と思っていたら、今日だれかがやってしまうかもしれません。科学者は世界中に競争相手がいることを認識し、その中でプロとして結果を出さなければならないのです。

## 苦しみ抜《ぬ》いた末に、オリジナルな論文を最初に書こう

第三は「苦しみ抜くこと」。

理論系の研究の場合、論理をつめてしっかり調べて検討していくことは苦しいです。実験系の研究なら、毎日実験をくり返しても望む結果が出ないこともざらです。計算が間違っているのか、研究の方向性がおかしいのか。もしかすると自分は研究者に向いていないのか

――そんな不安にさえ襲《おそ》われるかもしれません。

でも、苦しみなしにある日ひらめいてすごい理論ができることはなく、突然《とつぜん》良い実験結果が出ることもありません。実験ではまれに「予想外の幸運」が訪れることもありますが、それも長年にわたる試行錯誤《さくご》の上でのこと。すぐれたアイデアやひらめきは、自分を追い込み、論理を徹底的に突《つ》き詰《つ》める苦しさがあって、初めて出てくるというのが実感です。天才科学者なら血のにじむ努力なくパッとひらめくわけではありません。

第四は「オリジナルの論文を最初に書くこと」。

研究者の仕事は論文を書くことです。その内容はオリジナルなもの、世界に先駆《さきが》けて自分が見つけたことを含《ふく》むものであるのは当然ですが、それを最初に発表しなければプライオリティ（優先権）を得られません。「論文の発表は遅れたが、最初に見つけたのは私だ」と主張しても、誰《だれ》も認めてくれません。

ですから論文発表の数時間の違いが、論文の価値を大きく左右するのです。世界には同じアイデアが浮《う》かんでいるライバルが何人もいて、今にも先を越《こ》されようとしているのだと思うべきです。したがって執筆《しっぴつ》にだらだらと時間をかけず、短時間で一気に書き上げる必要があるので、ファイト、意欲、集中力が求められます。

## 独創的なアイデアをどう生み出すか

科学者にはオリジナリティ・独創性が強く求められます。世界中の誰も知らないことを、世界に先駆《さきが》けて見つけ出そうというのですから、当然のことです。

では、独創的なアイデアやひらめきは、どのように生み出せばいいのでしょうか。

簡単なノウハウや方法論はありません。一つ言えるのは「はやり」ばかりを追っていてはいけないということです。「はやり」とは、その分野で現在注目を浴びていて、多くの人が関心を寄せている研究テーマです。そうしたものは確かに魅力《みりょく》的に見えますので、若い科学者が飛びつきたくなる気持ちはわかります。でも、独創性・独自性を持つためにも「自分は人とは違《ちが》ったスタンス、違った視点で研究していこう」というチャレンジ精神・反骨精神があっていいと思うのです。

とはいえ、流行のテーマについて知らないと「あいつはもうこの分野の主流から脱落《だつらく》したんだ」と他人から言われかねません。近年ははやりのテーマで論文を書かないと評価されず、研究者として食べていけないという厳しい時代です。でも1年間に5本論文を書くなら、4本は流行のテーマで書き、残りの1本は流行とは関係ない、自分独自の視点で考えたテーマに取り組んでほしいと思います。

それから、独創的なアイデアがひらめくためには、自分で徹底的に考え抜くことが大事です。来る日も来る日も考え続け、悩み続けなければなりません。何の思考もないところから、新たなひらめきは絶対に生まれません。

「こうやってもダメだったな」「こういう方法もあるのだろうか」といった昼間の考えが蓄《ちく》積《せき》されていきます。そして、夜に寝床《ねどこ》の中でふと新しいアイデアがひらめく、そんな経験を私は何度もしています。寝床の横にペンとメモ帳を置いておき、夜中に思いついたことをすぐにメモできるようにしていました。

また、自分の専門とは違う分野の研究についての知識は、独創的なひらめきの重要な源泉になります。それは同時に、分野融合《ゆうごう》的な新しい研究を切り拓《ひら》く力にもなります。

## 他人とのディスカッションがひらめきを生む

先ほども話したように、独創的なアイデアを思いつくためには、まず自分一人で徹底的に考え抜くことが一番大事です。でも、自分だけで思い詰めても問題を解決できることはありません。そこでディスカッション、身のまわりの人と議論することが問題解決の「カギ」となります。

特に理論系の研究には、他人とのディスカッションが欠かせません。研究室の指導教員や先輩、友人、そして後輩も含《ふく》めて、自分がどんな研究テーマに取り組んでいるのか、どんな課題を抱《かか》えていて、どのように解決しようとしているのか、自分の考えを話し、相手から意見を求めるのです。他人は自分とは違う知識や経験、視点を持っています。ですから他人からは、自分一人の考えからはけっして生まれない発想やひらめきが出てきたり、「言われてみればそうだよな」という予想外の視点からの指摘《してき》をもらえたりするのです。

私が林研究室にいた当時は、隣の研究室の教授や助手の方とも全員顔見知りで、みなさんと自由にディスカッションできました。益川さんからワインバーグ－サラム理論の存在を教えてもらえたのも、そのおかげです。またのちに赴任《ふにん》したＮＯＲＤＩＴＡでも、ディスカッションが大いに奨励《しょうれい》されていました。研究者の居室のドアは開け放たれ、誰でも気軽に入って話ができましたし、昼食後にカフェで延々と議論できたりする環境《かんきょう》が用意されていたのです。

ディスカッションが大事なのは、現代のネット社会でも同じです。今は世界中の最新論文が瞬時《しゅんじ》にネット上に公開されて、研究者同士がウェブミーティングなどで議論を交わしています。科学はもはや、一人あるいは数人の天才によってつくられる時代ではありません。い

# 本から入る
# 科学《サイエンス》の世界

科学は、人がこの世界を知ろうと格闘してきた道のりそのもの。参考書よりワクワク読めて、一生モノの深い知識が身につく本を紹介します。

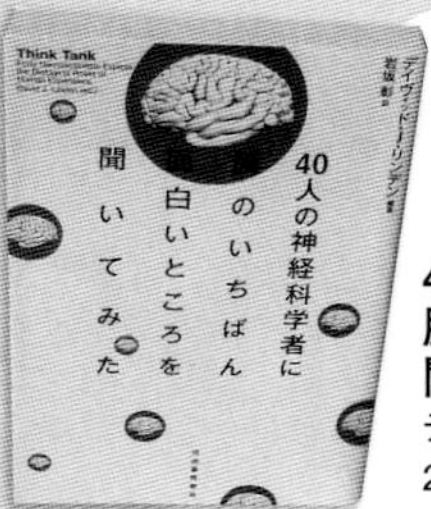


## #1 最前線からさらに先が見えてくる

**40人の神経科学者に脳のいちばん面白いところを聞いてみた**
デイヴィッド・J・リンデン編著／岩坂彰訳
2,310円（税込）　25403-6

科学界のエンターテイナー、リンデン教授率いる神経科学者のドリームチームが研究の一番面白いところを語る。10代の脳、双子の謎、知覚の不思議、性的指向、AIと心…脳を揺さぶる37話。

## #2 謎が解ける日は近いかも

**科学者18人にお尋ねします。宇宙には、だれかいますか？**
佐藤勝彦監修／縣秀彦編著
1,650円（税込）　25361-9

私たちはいつ、地球外生命に出会えるのだろう？生物学、化学、物理学、生命科学、天文学……各分野のトップランナーが最新成果をもとに究極の謎に答を出す。自筆の宇宙人イラストも必見!!

## #3「意味」がわかると誰かに話したくなる

## #4 愛でる楽しみから始めたい

楽しい動物化石&楽しい植物化石

ベクトル、テロメア、量子コンピュータからゲノム編集まで、日常でモヤモヤしていた科学の用語、理論や考え方を精選。科学書翻訳の名手が、直観的な理解を助けるイラストとともに一挙解説!

1,760 円（税込）　25568-2（動物化石）／ 25571-2（植物化石）

宝石的アンモナイト、五つ目モンスターオパビニアから琥珀に閉じ込められた白亜紀の花、種子化石グロテアまで……ダイナミックで神秘的な化石たちを古生物愛あふれるやさしい解説で紹介。

## #5 "積ん読"じゃもったいない面白さ

### 世界一ゆかいな脳科学講義

**頭の中をぐるぐるめぐる 11 日間**

アンジェリーク・ファン・オムベルヘン編
ルイーゼ・ペルディユース絵
藤井直敬監修／塩崎香織訳

2,090 円（税込）　25417-3

脳のしくみ、心との関係、記憶、私とは何か、未来の脳……「自分の頭で考える」前に知っておきたい脳のこと。基本を押さえ、平易な解説とユーモラスなイラストで脳研究の最前線へひとっ飛び!

## #6 数珠つなぎ読書で科学沼へようこそ

### サイエンス・ブック・トラベル

**世界を見晴らす 100 冊**

山本貴光編 1,760 円（税込）
25323-7

「シロウトでも最先端がわかる一冊は?」に答えてくれた、気鋭の科学者ら 30 名による渾身のブックレビュー。昆虫、深海、素粒子、心理学からデータサイエンスまで、かなり遠くまで行けます。

わば世界中の研究者の脳が連結・連携《れんけい》し、よってたかって研究し、議論することで科学は進歩しているのです。

ただし、科学のあらゆる分野でオープンな議論が可能かというと、そうではないでしょう。宇宙論や天文学のような、直接「お金」にならない分野であれば可能です。でも、お金やビジネスに結びつく医学・薬学・生命科学などの分野では、研究テーマによって他人とのディスカッションが制限されるのは、ある程度はやむをえないのでしょう。とはいえ、他の研究者との交流を絶った環境では新しい発想も出てきませんし、自分の思い込みで間違った研究方向に進んでしまう懸念《けねん》も強まります。これは難しい問題ですね。

## 若い科学者を悩ませる「ポスドク問題」

それから、博士課程を修了して博士号を取ったのに、正規の職（常勤職）に就けない「ポスドク問題」についてお話しします。

科学者になりたいと思って博士号を取っても、博士課程修了と同時に大学や公的研究機関の常勤職になれる人はごくわずかです。ほとんどの人は「ポスドク（博士研究員）」と呼ばれる、任期付き（期間限定）の研究員になります。

若手研究者（40歳未満の国立大学教員）のうち、２０１８年時点で6割を超《こ》える人が任期付きのポストにいると報告されています。10年前の２００８年には4割弱だった割合が、この10年で急増しているのです。これは国からのお金（運営費交付金）が毎年減額されて、多くの大学が常勤職の教員を増やせず、代わりに任期付きのポストで若い研究者を雇用《こよう》していることが理由です（現在は、減額は止まりましたが、減額されたままの状況は続いています）。

一口にポスドクといっても、さまざまな種類があります。たとえば、日本学術振興会の「特別研究員制度」は、かつて私も恩恵《おんけい》を受けた「奨励研究員制度」を受け継《つ》いだもので、ポスドクとして給与と研究費を支給しています。大学などの研究室に所属して研究を行いますが、ポスドクは自分で研究テーマを選んで自由に研究を行うことができます。一方、最近は特定の研究室のプロジェクトが科研費[＊2]で雇用するポスドクが急増しています。各大学によって「特任研究員」や「特任助教」などさまざまな名前で呼ばれています。この場合、ポスドクはプロジェクトの目標達成のための研究に専念することが求められ、研究の自由度は少ないのが現実です。

ポスドクは限られた任期内に研究成果を出すことが求められ、それがプレッシャーとなる場合があります。また、各種の年金・保険や福利厚生が適用されないことが多く、自分で国

＊2　**科研費**｜正式名称は「科学研究費助成事業」。文部科学省と日本学術振興会が行っている日本最大の研究費助成事業。のちほどあらためて説明します。

民年金に加入するなどしなければなりません。

博士号は昔から「足の裏についたご飯粒《つぶ》」だ、などと言われてきました。取らないと気持ち悪いが、取っても食えない、という意味です。博士号を取っても常勤職になかなか就けないようでは、科学者をめざす若い人がどんどん減って、日本の科学技術力はどんどん弱くなるでしょう。

そこで政府は２０２０年1月に「研究力強化・若手研究者支《し》援《えん》総合パッケージ」という施《し》策《さく》を決定しました。５年後に40歳未満の若手大学教員を全国で１割増やすことを目標として、若手研究者のポスト確保に取り組む国立大学に対して運営費交付金を多く配分することなどを決めています。ですが、大学の予算が縮小している現状では、任期付きでない若手のポストを実際に増やせるのは、東大や京大など財政的に恵まれた一部の大学に限られるようにも思います。

## アカデミア以外の道もすばらしい

科学者をめざす人の多くが、大学や公的研究機関などの常勤職、いわゆる「アカデミックポスト」に就きたいと希望することは、昔も今も変わりません。その気持ちはよくわかります。でも私は「アカデミア（学術的世界）以外の道を選ぶこともすばらしいのだ」ということを、みなさんに強く伝えたいです。

科学者をめざして博士課程に入ってきた人の多くは、企業《きぎょう》研究者や公務員になることを「アカデミアに残れなかった負け組だ」と考えがちです。でもそれはまったく違います。アカデミア以外の職場での研究は、たしかに自由度などの面で大きく違いますが、そこで活躍《かつやく》することも科学者として誇《ほこ》らしい働き方・生き方なのです。

私は今年（２０２０年）3月まで「博士課程教育リーディングプログラム」という事業に関わりました。これは、大学院の修士課程（前期博士課程）・博士課程（後期博士課程）のカリキュラムを見直して、アカデミアだけではなく、産業界や国際機関などで活躍できるリーダーを育成しようという目的で行われた事業です。同時に産業界などに対して、博士の積極的な採用や、優秀《ゆうしゅう》な若手研究者の支援を求める役割も担っています。

私はプログラムを推進するための、ある部会の部会長を務めたのですが、副部会長を務めてもらったのが旭化成《あさひかせい》株式会社の吉野彰《よしのあきら》さんです。吉野さんはモバイルバッテリーなどに使われる「リチウムイオン2次電池」の発明者の一人として、２０１９年にノーベル化学賞を受賞しました。ノーベル賞受賞者の多くが大学の研究者であることは確かですが、吉野さんのように企業研究者であってもノーベル賞を取れるような基礎科学の研究ができるのです。

ちなみに吉野さんは現在、名城《めいじょう》大学の教授を務めています。吉野さんのように、企業研究者として活躍した人が、40代や50代になって大学教員としてアカデミアに戻《もど》るケースも増えています。また、企業に就職した人が社会人入試で博士課程に入学し、企業に在職しながら博士課程学生となって学位を取得する道もあります。ですから科学者にもさまざまな道があり、どの道を進んでも科学者として活躍できることを若いみなさんにアピールしたいです。

## 宇宙の初期のようすを探る研究に軸足《じくあし》を移す

話は私の京大助手時代に戻ります。「ニュートリノのトラッピング理論」の研究は、二つの大きな「幸運」を私にもたらしてくれました。一つは、論文が評価されてのちにNORDITAへ客員教授として招かれたこと。そしてもう一つは、ワインバーグ‐サラム理論を使えば「宇宙のごく初期のようす」を探れることに気付かせてくれたことでした。

ワインバーグ‐サラム理論は「力の統一理論」と呼ばれるものの一つです。理論物理学では、宇宙に存在する基本的な「力」として四つの力を考えます。それは電磁気力、重力、弱い力、強い力です。電磁気力は電気や磁気の力で、重力はよくご存じでしょう。残りの二つは原子核《かく》の中で働く力で、一方が強く、もう一方が弱いので「強い力」「弱い力」と区別しているうちに、それが正式な名前になってしまいました。

私たちが知っているどんな力も、元をたどると四つの力のいずれかに分類されます。たとえば筋肉を動かすことで発揮できる力は、筋肉の内部で起こる化学反応によってつくられます。化学反応は電磁気力によって生まれるものなので、筋肉の力は電気磁力の一種に分類できるのです。

力の統一理論では「四つの力は、もともと一つの力だったのに、ある時に枝分かれてしまったのではないか」と考えます。もともとは「宇宙の誕生直後の、超高温の初期宇宙の時代には」という意味です。ワインバーグ－サラム理論は、電磁気力と弱い力を統一する（超高温状態では性質が同じになることを示す）理論でした。そしてこの理論をさらに勉強していくと、宇宙の初期のようすを探っていく際の強力な武器になることがわかってきたのです。

私たちは普段《ふだん》、真空は「物質もエネルギーもない、からっぽの空間」だと考えています。でも、ワインバーグ－サラム理論をもとにして考えていくと、真空の性質が変化するという現象が起こることがわかります。これを「真空の相転移」といいます。

そこで私は、真空の相転移が生まれてまもない宇宙で起こったなら、宇宙の歴史にどんな影響《えいきょう》をおよぼすのかを検討しました。すると「真空のエネルギー」（真空そのものが持つエネルギー）が超ミクロの初期宇宙を急膨張《ぼうちょう》させることがわかったのです。この急膨張を「インフレーション」といいます。インフレーションとは物価がどんどん上昇《じょうしょう》していく状態を表す経済用語ですが、そこからもじって宇宙初期の急膨張をこう呼ぶことになりました。

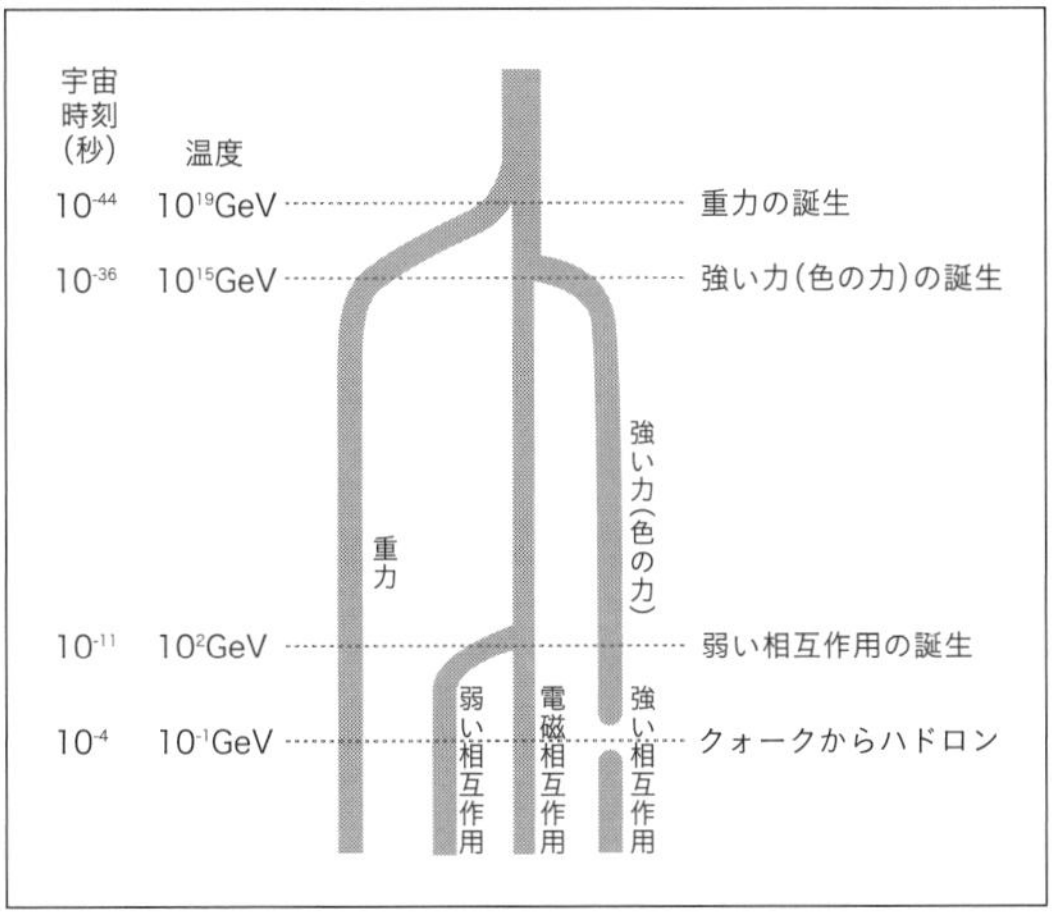

四つの力の進化（枝分かれ）を示した概念図

　ワインバーグ－サラム理論によると、相転移を起こす前の真空は巨大《きょだい》なエネルギーを持っています。そのエネルギーによって、超ミクロの宇宙は一瞬にして私たちの目に見えるサイズにまで成長します。そして真空が相転移を起こすとインフレーションが終わり、真空のエネルギーは熱エネルギー変わって、宇宙は超高温の火の玉状態になりました。これがビッグバンなのです。

　京大の助手になったころから、私はそれまでの中性子星や超新星爆発の研究から、初期宇宙の研究に軸足を移すようになりました。そのころお世話になったのは、林研究室の大先輩である佐藤文隆《さとうふみたか》さん（京都大学名誉《めいよ》教授）です。宇宙論にくわしい文隆さんから関連論文や最新の文献《ぶんけん》を教えていただき、共同で研究を進めました。共著論文に載せた、宇宙の歴史の中で四つの力がどのように枝分かれしていったのかを示した図（１０５ページ）は、現在では世界中の宇宙論の解説書で使われています。

## NORDITAに招かれてコペンハーゲンへ

１９７８年の年末、33歳の私は北欧《ほくおう》理論物理学研究所（ＮＯＲＤＩＴＡ）のアーエ・ボーア所長から手紙を受け取りました。ノーベル賞受賞者でもあるボーア所長とは面識がありませんでしたが、手紙の内容は「客員教授として1年間、ＮＯＲＤＩＴＡに滞在《たいざい》してくれないか」というものでした。

私はこの手紙を林忠四郎先生に見せて、1年間の滞在許可を願い出ました。林先生は最初「今までこの研究室から、海外の研究室に1年間も出張した例は一度もない。海外に行かなくても、この研究室で十分に研究できるのではないか。それに君が行っている間、学生たちの指導は誰がするのか」と反対されました。ですが最終的に、ＮＯＲＤＩＴＡ行きを認めてくださったのです。

クリストファー・ペチックさんと

こうして私は、本書の「はじめに」に書いたように、翌1979年6月にコペンハーゲンに渡《わた》り、NORDITAに約1年間滞在しました。NORDITAは量子論の「生みの親」であるニールス・ボーア（アーエ・ボーア所長の父）が創設した「ニールス・ボーア研究所」に併設して北欧5か国が共同設置した研究所です。給与を出してくれるのがデンマーク政府か北欧5か国かの違いはありますが、研究条件は同じです。ニールス・ボーア研究所には実験部門もありましたが、量子論誕生のメッカとして世界の理論物理学の拠点として知られていました。

ふしぎだったのは、何の面識もない私をなぜボーア所長が招いてくれたのかということでした。実際に私を呼んでくれたのは、クリストファー・ペチック教授という方でしたが、やはり会ったこともありませんでした。コペンハーゲンに到着《とうちゃく》して数日後、私はペチックさんにデンマーク料理のレストランに招かれました。その時、見ず知らずの日本人をどうしてNORDITAに呼ぶ気になったのかを、率直に聞いてみたのです。

ペチックさんは、私のニュートリノ・トラッピング理論の論文を高く評価したのだと話してくれました。さらに私がどんな人物であるかを、私がかつて共同研究をしたハンス・ベーテ先生に聞いて確認していたことも教えてくれました。ベーテ先生と共著論文を書いたことは私にとって非常に光栄な経験でしたが、それがさらにこんな幸運にもつながったとは思いもよらず、私は本当に感謝したのです。

私を招いてくれたペチックさんもまた、私の一生の友人の一人です。ＮＯＲＤＩＴＡへの1年滞在後も、私を何度もコペンハーゲンに呼んでくれました。私も彼を何度か東京に招き、家族ぐるみの付き合いを続けています。他にもＮＯＲＤＩＴＡ時代に知り合った海外の研究者が何人も、生涯《しょうがい》の友人になっています。

科学者をめざす若いみなさんには、大学院時代などに1か月でも、より長期に1年でも、海外の大学や研究機関で研究することを強くおすすめします。海外での研究・生活経験、語学力やコミュニケーション力、海外の研究者とのネットワーク、それらはすべてみなさんの一生の財産になることは間違いありません。

## インフレーション理論による「新たな予言」を考える

ＮＯＲＤＩＴＡに着任した私はすぐに、インフレーション理論をまとめ上げる研究に取りかかりました。真空の相転移（真空の性質の変化）が時間がたつにつれてどう進むのかを厳密に計算して、宇宙初期のようすを明らかにしようとしたのです。

また私はインフレーション理論からどんな「新たな予言」ができるのかを考えました。「宇宙の初期にインフレーション（急膨張）が起こったはずだ」と言うだけでは、確かめるすべのない「神話」を語っているにすぎません。そこで、インフレーションが起こったとすれば現在の宇宙にこんな影響が見られるはずだとか、こんな現象を説明できるといった「新たな予言」が必要なのです。

当時の私が考えたのは、インフレーションが「宇宙の大規模構造」を説明できるという点でした。

現在の宇宙には、星が何千億も集まった「銀河」があり、銀河はさらに何百・何千と集まって「銀河団」という集団をつくっています。銀河団はさらに1億光年[*3]の大きさにおよぶ「超銀河団」を構成しています。一方で、宇宙には何億光年にもわたって銀河がほとんどない「ボイド（空洞《くうどう》）」という領域もあります。宇宙を非常に大きなスケールで眺《なが》めると、おびただしい数の銀河が網《あみ》の目のような形で広がっているのです。これを宇宙の大規模構造といいます。

従来のビッグバン宇宙論では、何億光年にも広がる巨大な構造ができるしくみをうまく説

＊3　**1億光年**｜「光年」は光が1年間に進む距離で、約9.5兆km。

明できませんでした。しかし私は、真空の相転移の際にできた「ゆらぎ（でこぼこ）」がインフレーションで巨大に引き伸《の》ばされて、大規模構造の「種」になったと考えました。種とは「物質の濃淡《のうたん》（密度の濃《こ》い部分と薄《うす》い部分）」のことで、濃い部分が成長して銀河団や超銀河団になり、薄い部分がボイドになったというシナリオです。

のちにイギリスの理論物理学者スティーブン・ホーキングや何人かの研究者は、インフレーション中に起こる「量子論的なゆらぎ」が引き伸ばされて、大規模構造の種になったという説を唱えました。現在では彼らの説のほうが有力とされていますが、インフレーションによって宇宙の大規模構造ができたという私のアイデア自体は生かされています。

## 論文は「正直」であれば良いものでもない？

私がインフレーション理論の最初の論文を書き上げて論文誌に投稿《とうこう》したのは、1980年2月のことでした。この中で私は、宇宙の始めに起こった急膨張を「指数関数的膨張」と表現していました。これは、時間がたつにつれて「倍々ゲーム」のように（2倍、4倍、8倍、16倍……と）宇宙が大きくなることを意味します。

じつは私が「指数関数的膨張」に関する3本目の論文を7月に書いている最中に、アメリカのアラン・グースさんという素粒子物理学者が私と似たような研究をしていることを知りました。すでに2月に2つの論文を書いていましたので、先取権はとっているものの、私は自分の理論が抱える「欠陥《けっかん》」にも気づいていました。私の理論通りだと、真空の相転移が永遠に終わらない可能性があるのです。私はそのことを、論文の冒頭《ぼうとう》の「要旨《ようし》」の中にも正直に書きました。

そして私の2月の論文から半年遅《おく》れた１９８０年8月に、グースさんは私と同種の内容の理論を発表しました。彼はその中で、私が「指数関数的膨張」と呼んだものを「インフレーション」と名づけていました。それが一般《いっぱん》に広まって、現在は私の理論もインフレーション理論と呼ばれるようになったのです。

ネーミングはとても大事です。私の「指数関数的膨張」よりも、グースさんが誰でも知っている経済用語から名づけた「インフレーション」のほうがずっとインパクトがあります。この手のものは、海外の研究者は本当に上手だと思いますね。「ビッグバン」や「ブラックホール」「ダークエネルギー[*4]」など、一般の方の興味をそそるネーミングセンスはすばらしいです。

またグースさんの論文は、真空の相転移が終わらない可能性があるという理論の欠陥には触《ふ》れず、それをたくみに避《さ》けた論理展開になっていました。そして1年後に書いた別の論文

＊4　**ダークエネルギー**｜宇宙全体に満ちていて、現在の宇宙の膨張速度を速める原因になっているとされる未知のエネルギー。

*Mon. Not. R. astr. Soc.* (1981) **195**, 467–479

# First-order phase transition of a vacuum and the expansion of the Universe

Katsuhiko Sato *Nordita, Blegdamsvej 17, DK-2100 Copenhagen Ø, Denmark** *and Department of Physics, Kyoto University, Kyoto, Japan†*

Received 1980 September 9; in original form 1980 February 21

**Summary.** The progress of a first-order phase transition of a vacuum in the expanding Universe is investigated. The expansion of bubbles of a stable vacuum is calculated simultaneously with the cosmic expansion with the aid of the following two simplified nucleation rates of bubbles $p$: (i) $p = p_T T_c \delta(T - T_c)$ in the hot Universe models, (ii) $p = 0$ for $n > n_c$ and $p = p_Q$ for $n < n_c$ in the cold Universe models, where $T$ is the cosmic temperature, $T_c$ the critical temperature, $n$ the cosmic number density of the fermions coupled to the order parameter of the vacuum, $n_c$ the critical density, and $p_T$ and $p_Q$ are parameters.

The following results are obtained: (1) If the nucleation rates are small and the vacuum stays at the metastable state for a long time, the Universe begins to expand exponentially. As a result, the progress of the phase transition is delayed more and more by the rapid cosmic expansion. In particular, in model (i), if $p_T$ is less than a critical value, the phase transition never finishes. (2) The lower limits of the nucleation parameter $p_T$ and $p_Q$ are obtained from observation of the number ratio of photons to baryons in the present Universe. (3) If the phase transition of the vacuum in SU(5) GUT is of first order or if there exists a hypothetical first-order phase transition of the vacuum in the very early stage in which baryon number is not conserved, the density and the velocity fluctuations created by the phase transition may account for the origin of galaxies.

## 1 Introduction

Currently, gauge theories with spontaneous symmetry breaking are of great interest. These gauge theories not only suggest the possibility of the unification of the basic four interactions between particles, but also imply a cosmological evolution of the interactions; namely, that there may have been solely a unitary interaction between particles when the Universe was created. This unitary interaction, however, may have shot branches by the successive cosmological phase transitions of vacua with the expansion of the Universe, and thus the present

* Temporary address when paper was written.
† Permanent address.

インフレーション理論の論文（1ページ目）

の中で、初めて言及《げんきゅう》しているのです。

グースさんのやり方を、日本人は「ずるい」と思うのかもしれませんが、これは正しいブレゼンテーションのやり方だと私は思います。私たち日本人は少し正直すぎるのです。論文は「自分はこういう新しいことを発見した。これはすばらしい成果だ」という点をアピールするものです。解決すべき問題があることに最後に触れるのは良いのですが、それを冒頭の要旨にまで書いてしまった私は失敗だったと反省しています。欠点が先に書いてあるような論文は、他人から見て魅力的だとは思われないのです。

若いみなさんは、自分の説のセールスポイントを堂々とアピールする、魅力的な論文をぜひ書いてください。

## インフレーション理論は「分野融合的」な研究

私とグースさんがそれぞれ独立に提唱したインフレーション理論は、宇宙のごく初期のようすを明らかにした初めての理論でした。そうした点にも大きな価値があると思いますが、それとは別に重要な意義があると私は考えています。それは、素粒子物理学を宇宙論に本格的に適用した「分野融合的」な研究だったという点です。

インフレーション理論は、大統一理論という「力の統一理論」をもとにしてつくられたものです。大統一理論とは、先ほども出てきたワインバーグ－サラム理論をさらに拡大して、電磁気力と弱い力を統一するだけでなく「強い力（１０３ページ。色の力ともいう）」も統一する理論です。力の統一理論はもともと、素粒子同士の間に働く力について考えられたものであり、当時も今も、まだ完成されていません。それを私は初めて、宇宙の初期の状態を説明するために使ったのです。

当時は誰も、そんな「転用」をしていませんでした。そのためもあってか、発表当初は、インフレーション理論に対する評価はそれほど高くなかったのです。どう評価すればいいのかわからない人も多かったのでしょう。

理論を真っ向から否定されたこともあります。デンマークから日本に帰国したあと、私はインフレーション理論をある研究会で説明しました。その時、素粒子物理学の有名な先生から、こう叱《しか》られたのです。

「君は真空の相転移が、本当に現実の世界で起こるとでも思っているの？　あれは数学的な道具、トリックにすぎないから、過去の宇宙で相転移が起こるなんてありえないんだ。君は素粒子の専門家ではないから、それがわかっていないんだよ」

しかしそれから40年経ち、状況《じょうきょう》は大きく変わりました。素粒子物理学と初期宇宙論を融合させた「素粒子論的宇宙論」は、現代の物理学・天文学における大きな柱の一つとなったのです。そして天文学者だけではなく、多くの素粒子物理学者が素粒子論的宇宙論の研究に取り組んでいます。その研究成果は素粒子物理学にも還元《かんげん》され、その発展を促《うなが》しているのです。その先駆けとなったのが、インフレーション理論だったのです。

## 宇宙は「子ども」や「孫」を生む？

インフレーション理論の論文を投稿・発表するなど、充実《じゅうじつ》した日々を終えて、１９８０年７月に私は日本に帰国しました。

京都大学に戻った私は、インフレーション理論の欠陥だった「相転移がいつまでも終わらない」という問題に取り組みました。研究室の若い後輩たち（佐々木節さん、前田恵一さん、小玉英雄さん）とともに宇宙論研究のサブグループを研究室内につくり、彼らと議論をしました。私たちは少しの年齢差はありますが、互いに遠慮《えんりょ》なく意見や批判を行い、議論を積み重ねることができました。現在はみんな、日本の宇宙論研究のトップリーダーとして活躍しています。

研究の結果、相転移が終わらないという問題は解決できたのですが、そこから進んで非常

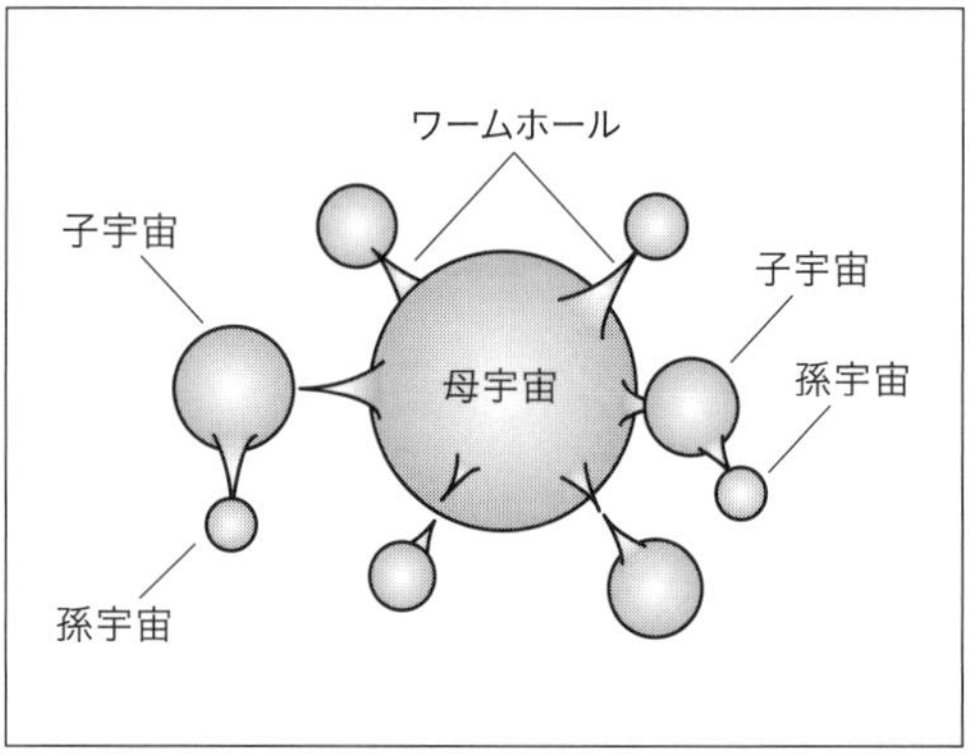


にユニークなアイデアを示すことができました。それは、宇宙がインフレーションを起こすと、新たな宇宙がつくられる可能性があるというのです。

元の宇宙を「母宇宙」、新たな宇宙を「子宇宙」とすると、母と子は最初のうちは「ワームホール」というトンネルでつながっています。インフレーションが終了《しゅうりょう》すると、ワームホールは切れてしまい、互いに行き来できなくなって、子は母から独立した別の宇宙になります。さらに子宇宙がインフレーションを起こすと、今度は「孫宇宙」ができるのです。

この理論を私たちは「宇宙のマルチプロダクション（多重発生）」として共著論文で１９８２年に発表しました。宇宙がどんどん子どもを生むなんてＳＦのようで、ちゃんとした科学理論とは思えないかもしれませんね。

でも現代の最新宇宙論では、「宇宙は一つではなく、無数にあるのではないか？」という仮説が大きな関心を集めています。この「マルチバース仮説（多元宇宙論）」は、私たちが唱えた「マルチプロダクション」とは別の理論ですが、これも素粒子論的宇宙論が導き出した宇宙の姿です。宇宙の数は10の２００乗、あるいは10の５００乗もあるという説もあって、まさに気が遠くなりますね。

# COLUMN 3 論文についてあれこれ

## 論文はお金を払《はら》って書く？

研究者は論文を書くのが仕事です。論文に関するさまざまなことをQ&A形式でお話しします。

Q：論文を日本語で書いたらいけないの？

A：科学論文は英語で書くのが当然です。世界中の多くの科学者に読んでもらうために英語で書きます。

Q：英語が得意でない人はどうやって英語の論文を書くの？

A：英文の校正（添削《てんさく》）を友人に依頼《いらい》するケースもありますし、研究機関の中に英文の専門家がいて、その人のチェックを受けることもあります。

Ｑ：論文はどんな流れ（構成）で書くの？

Ａ：最初に表題（タイトル）、著者名を書き、そして要旨《ようし》（アブストラクト）を数百字程度で書きます。そのあとに本文が来ます。本文は「ＩＭＲＡＤ（Introduction, Materials and methods, Results And Discussion）形式」と呼ばれる「はじめに」「方法」「結果」「考察」の順番に書くことが一般《いっぱん》的です。

Ｑ：共著の論文は全員で書くの？

Ａ：共著論文は「筆頭著者（リードオーサー）」が書きます。筆頭著者は、その研究についてもっとも大きな貢献《こうけん》をした研究者です。それ以外の研究者は、その研究に関与《かんよ》した人（共同研究者）として「共著者」になります。論文に著者名を連名で書く時、通常は筆頭著者を最初に書き、その後に共著者を書きます。共著者の順番は貢献度順の場合もあるし、そうでない時もあります。多くの研究分野では共著者の最後（ラストオーサー）は、一番地位の高い人になります（日本特有の伝統）。ただし素粒子《そりゅうし》物理学の論文は、アルファベット順に著者名を書くのが普《ふ》通《つう》です。特に素粒子実験は関係者が多く、何千人もの著者になることがあるからです。宇宙研究の分野でも大型装置を使った観測研究で、著者が極めて多い時は同じようになります。名前の順番は本当にその分野のカルチャーによって、それぞれ異なるのです。

Q：論文はどうやって発表するの？

A：論文は論文誌（学術誌、ジャーナル）を発行している学会や商業出版社などに投稿《とうこう》し、審査《しんさ》を経て掲載《けいさい》されることで発表されます。論文誌は定期的に（月刊や季刊など）発行されていて、その中に他の数十本の論文と一緒《いっしょ》に掲載されます。日本物理学会を始め、世界の多くの学会は論文誌を出しています。アメリカ物理学会の『フィジカル・レビュー（Physical Review）』は物理学分野ではもっとも権威あるものでしょう。商業出版社のものでは、イギリスの『ネイチャー（Nature）』やアメリカの『サイエンス（Science）』などが権威のある論文誌として知られています。近年は紙版の雑誌を発行しない「オンライン・ジャーナル」も増えています。

Q：論文を書いたらお金をもらえるの？

A：普通、本を書いて出版されると、著者は原稿《げんこう》料や印税をもらえます。でも論文の場合、論文の著者は論文誌の発行元にお金を払って載《の》せてもらうことが多いです。学会が出版する論文誌では、論文の長さなどで異なりますが、相場は数万円から10万円くらいでしょうか。研究分野・学会によって多様です。商業出版社は論文を集めるため、掲載料は無料の場合が多いのですが、一方で論文誌の購入《こうにゅう》価格が高く、さらに近年値上げも頻繁《ひんぱん》で、世界的に大問題となっています。その分野のこれまでの歴史、現状を総合的にまとめた「レビュー論文」の執筆を発行元から依頼されることもあり、この場合は原稿料をもらえるのが一般的でしょう。

## 論文は「正しい」とは限らない？

Q：論文の「査読」ってなに？

A：論文が投稿されると、論文誌の発行元はその分野にくわしい別の研究者に論文を読んでもらい（査読）、掲載の可否の判断材料にします。査読はおもに、論文の「オリジナリティ（目新しさ）」をチェックします。つまり「従来わかっていたことは何か」と「今回、何を新たに発見したか」が明確に書いてあるかを見ます。査読された（査読付きの）論文は、論文としての価値があると認められたものだといえます。逆に査読のない論文は、一般に論文とは呼べません。研究者にとっては、査読も大事な仕事の一つです。論文を書く人は、査読もしなければなりません。

Q：査読付きの論文は、正しい論文だと言えるの？

A：査読付きの論文でも、間《ま》違《ちが》っているものはたくさんあります。査読はあくまで論文の「オリジナリティ」をチェックしているだけだからです。論文の内容が正しいかどうかは、論文が発表された後で、他の研究者による追試や確認などを経て、のちのち明らかになるものです。商品の広告などで「この効能は、どこどこの論文誌で発表されたものです」と宣伝しているケースがあります。論文誌に載ったからといって、その内容が正しいと安易に信じないようにしてください（近年は査読もせずに掲載して掲載料を稼ぐ、悪質な論文誌、いわゆる「ハゲタカジャーナル」も増えているので、よけいに注意が必要です）。

Q：研究者は1年に論文を何本書くの？

A：研究分野によってかなり違います。宇宙物理学者であれば、1年に4〜5本の論文を書くのが普通でしょう。私はこれまでに、２００本あまりの査読論文を執筆《しっぴつ》しました。一方、化学の分野でははるかに多くの論文を書くのではないでしょうか。

Q：良い論文かどうかは、どうやって評価するの？

A：論文の評価には、さまざまな指標があります。研究者は、書いた「論文数」で評価されることもあれば、他の論文に何回引用されたかという「被《ひ》引用数」を重視されることもあります。被引用数の多さで論文全体の上位１％以内に入る「トップ１％論文」は卓越《たくえつ》した論文とみなされることが多いです。近年は、論文誌を「格付け」して、格付け点数（インパクトファクター）の高い論文誌に載った論文を評価する流れもありました。しかし最近は、これらの指標で高く評価された論文が、あとから見て本当に優れた論文だったのか疑問視する声も大きくなっています。論文の真の評価は、10年後、あるいはもっと先にわかるものだと思います。

# 第4章

# 科学者をどう育てるか

WORLDLY WISDOM
FOR 14 YEARS OLD

## 東京大学の宇宙物理学の助教授に着任する

１９８２年の12月、37歳《さい》の私は京都大学を離《はな》れ、東京大学理学部物理学科の助教授（現在の准《じゅん》教授）として着任しました。

京都大学の林先生の研究室は、日本の、そして世界の宇宙物理学をリードしていたので、それまで私は東大に行きたいと思ったことはありませんでした。ですが、東大の物理学科に初めて宇宙物理学の研究室がつくられることになりました。それまで東大に天文学科はありましたが、それとは別に宇宙物理学の研究室をつくることになったのです。

国公立大学で新たに教員を採用する時には、公募《こうぼ》（一般募集《いっぱんぼしゅう》）が行われるのが原則です。私は林先生とも相談し、東大に応募することにして、応募書類を送りました。

すると東大から連絡《れんらく》が来て「東大に来てセミナーをしてほしい」と言われました。事実上の面接試験だと思いましたね。忘れもしない１９８２年7月7日の七夕の日、大きな講義室に東大の著名な先生方から学生までがずらりと居並ぶ前で、かなり緊張《きんちょう》しながら講演をしました。その後、多くの応募者の中から私を選んでいただき、幸いにも内定の通知を受けたのです。

　こうして私は、東大で自分の研究室を持つ立場になりました。第2章でも話したように、研究室は通常は教授や准教授、助教、ポスドク、修士課程や博士課程の大学院生、そして学部生といったメンバーで構成されます。一つの研究テーマをメンバー全員で研究する場合もあれば、いくつかのグループごとに研究テーマが分かれている場合もあり、やり方は研究室によって違《ちが》います。研究室の規模もさまざまです。

東大の研究室で本や資料に埋もれる私（2007年）

　京大は教授のみがＰＩ（研究主宰《しゅさい》者、研究室代表）であることが多く、助教授（准教授）は教授の下で研究する立場でした。一方、東大は研究室の運営に関しては教授と助教授が完全に同格で、助教授も独立した自分の研究室を持ち、自由に研究できました。私の研究室の名前は「宇宙理論研究室」としましたが、東大物理の規則ではＰＩの名前で呼ぶことになっていたので「佐藤研」とも呼ばれていました。私にとって、東大初の宇宙物理学の研究室を自分のイニシアティブで運営できたことは本当に幸せでした。

　ＰＩになることは、科学者・研究者にとってあこがれ・目標の一つでしょう。昔は教授イコールＰＩでしたが、最近は准教授でＰＩになることも多くあり、さらに助教もＰＩとなり「ジュニアＰＩ」などと呼ばれます。

## 研究費を獲得《かくとく》することもＰＩの大事な仕事

ＰＩを含《ふく》めた大学の教員（教授、准教授、助教など）がどんな仕事をしているのかをここで話しましょう。

大学教員の仕事は、①研究、②教育、③学務の三つに大きく分けられます。

一つ目の「研究」は、研究者・科学者の本分と言えるものです。研究計画を立て、文献《ぶんけん》を調べたり、実験やフィールドワーク（現地調査）を行ったりして、研究成果を論文にまとめて発表します。他人の論文の査読（第3章コラム参照）も研究業務の一部です。

研究に必要なお金、つまり研究費を獲得することも、研究業務の一部となっています。各研究室には、大学が国からもらうお金（国立大学では運営費交付金など）が、研究室の人員などに応じて配分されます。しかしそれだけでは研究に必要な費用を十分にまかなえないのが現状です。

そこで「我々はこういう研究がしたい」と書類を出して、その内容が認められれば研究費がもらえるという「競争的資金」に応募する必要があります。その代表例は「科研費」です。文部科学省が日本学術振興《しんこう》会（１６７ページ）に実務を担わせている、日本最大の研究費助成事業です。他にも政府系・民間系のさまざまな団体が競争的資金を公募しています。

その他に、民間企業《きぎょう》から依頼《いらい》（委託《いたく》）を受けて研究を行ったり、共同で研究したりすることで、企業から研究費を出してもらう方法もあります。また最近は、インターネットで広く資金を集める「クラウドファンディング」で研究資金を募《つの》るケースも見られます。

すべての科学者に十分な研究費を支給できれば、それが理想なのでしょう。でも研究そのものが激しい競争になっている以上、研究の成否を左右する研究費の獲得もやはり競争にならざるをえないのが現状です。したがって特にＰＩにとって、研究費の獲得は大事な仕事になっています。

## 教育や学務の仕事も行う科学者

大学教員の仕事の二つ目は「教育（授業）」です。担当する講義の授業計画を立てて、講義を行い、試験やレポートを採点し、評価点をつけます。教室（ゼミ）を担当している教員は、学生の研究や論文作成の指導に当たります。さらに学生の進路の相談や留学相談にも対応します。また、研究室の若手研究者（修士・博士課程の学生やポスドクなど）の指導や育成は、研究室の運営業務の一部でもありますが、広い意味での教育だといえます。

三つ目の仕事が「学務」で、所属する組織（大学全体、学部、学科）の運営に関する仕事です。学部全体の教育カリキュラムの作成にたずさわったり、学生向けのガイダンスや説明会などの企画《きかく》や実施《じっし》を行います。大学入試やオープンキャンパス（進学希望者に対して施設《しせつ》案内や模擬《もぎ》授業、進路相談などを行う）の仕事も重要な学務です。その他に学内のさまざまな委員会などへの出席や運営も求められます。

以上三つのおもな仕事の他に、近年は一般向けの公開講演会や小学校・中学校などへの「出張授業」の実施といった「アウトリーチ活動（研究成果を公開する活動）」の仕事も増えています。小学校や中学・高校の先生が非常に忙《いそが》しいことは有名ですが、大学の先生もこのようにさまざまな仕事をこなしていて、とても忙しいです。

文部科学省の調査（２０１３年）[*1]によると、大学教員の勤務時間のうち、研究の仕事の割合が約35パーセントを占《し》めています。教育の仕事が約30パーセント、その他が約35パーセントです。約10年前（２００２年）は研究の仕事の割合が約45パーセントだったので、研究の時間が減っていることがわかります。科学者が十分な研究時間を確保できるように、学務や学内事務手続きをもっと効率化することが大事だと思います。

＊1　**文部科学省の調査（2013年）**｜「大学等教員の職務活動の変化」（2015年発表）より。

## 若い科学者の育成は非常に大事

ところで、科学者・研究者の中には教育の仕事をほとんどしていない人もいます。それは公立の研究機関に勤める人です。プロの専門家が集まっていて学生がいないので、教育業務に時間を取られることなく、研究に専念できるのです。私が客員教授を1年間務めたＮＯＲＤＩＴＡもそうした研究所でしたので、私はインフレーション理論の研究に没頭《ぼっとう》できました。

ただし、教育業務は科学者にとって「時間の無駄《むだ》」かというと、私はまったくそう思いません。次世代の若い科学者を育てることは、科学者の使命です。私たちは先輩《せんぱい》科学者たちの科学研究の恩恵《おんけい》を受けて暮らし、過去の膨大《ぼうだい》な研究成果の上に立ってさらなる研究を続けています。ですから当然、自分が科学研究をして満足するだけでなく、科学の営みを次の世代にも引き継《つ》ぐ必要があると思います。

さらに、若い科学者や学生を育成・指導することは、教える側にとっても大きなメリットがいくつもあります。たとえば、学生から基本的な事柄《ことがら》を質問された時、「君、そんなこともわからないのか。当たり前のことじゃないか……」と言いかけます。でも、「あれ、よく考えると見落としていたこと、意外に深いものがあるんじゃないかな？」と気がつくことがあるんですね。そして、その質問に答えようとして、自分の頭が非常に整理されるのです。幼い子どもの素朴《そぼく》な質問に対して大人が感じることと、似ていると思いますね。もちろん、偉《えら》い先生の話を聞くことも勉強になりますが、大きな刺激《しげき》になるのは、友人や同僚《どうりょう》との議論、そして若い人との会話だと思います。

また、若い研究者の勉強量や情報収集能力は本当にすばらしいです。修士課程の2年生や博士課程の学生は、最新の論文をよく読み込《こ》んでいます。ですから「いや先生、最新の研究ではこうなっています」と私に教えてくれるのです。ＰＩになると、会議や雑務に追われてしまうので、最新の論文を読むことにかけては彼《かれ》らのほうがずっと優れています。そういう彼らと議論することで、私も大変勉強になるんですね。

それから、「パラダイム」という言葉を第1章で紹介《しょうかい》しましたが、科学者はあるパラダイム、ある常識・視点の中で研究しているといえます。そうすると、年配の科学者は以前からのパラダイムに支配されていて、パラダイムを変えるような発想は出てこないんですね。パラダイム・シフトになるような科学の大革命はやはり、若い人たちの頭脳から生まれるのです。逆に、60歳代の偉いノーベル賞科学者ばかりを集めて研究させたとしても、新たな成果は何一つ出ないでしょうね。

## 小柴《こしば》先生の超新星ニュートリノ発見に立ち会う

私が東大に着任した時の話に戻《もど》ります。着任してすぐ、物理学科の小柴昌俊《まさとし》先生から「いっしょに飯を食おう」と誘《さそ》われました。そして小柴先生にニュートリノのことをいろいろ話したのです。

小柴先生は私より約20歳年上の素粒子《そりゅうし》物理学者です。宇宙線や素粒子の観測、加速器実験など幅《はば》広く研究を進めておられ、当時は「陽子崩壊《ほうかい》」という未知の現象を見つける研究に重点を置かれていました。岐阜《ぎふ》県飛騨《ひだ》市の旧神岡《かみおか》鉱山跡《あと》、地下１０００メートルの場所に「カミオカンデ」という装置をつくり、陽子崩壊の観測を始めたのは、翌１９８３年のことです。

この装置を改造すると、太陽からやって来るニュートリノを観測することも可能でした。一方、本書で書いたように、私は超新星爆発の時に出るニュートリノの研究をしていました。ですから小

小柴昌俊先生（首相官邸ホームページより）

柴先生に「カミオカンデで超新星からのニュートリノも受かりますよ」と言ったのです（「受かる」とは天文業界の用語で「受信できる」という意味です）。でも、超新星爆発が私たちの天の川銀河内で発生する確率は50年から１００年に1回程度です。カミオカンデの計画書にも、たしかに超新星ニュートリノの検出もちゃんと書かれていましたが、小柴先生は「そんなのは50年に1発とかの話だろう？」と言っていましたので、あくまで太陽ニュートリノの観測が主眼だったのです。設備が改造されて、太陽ニュートリノの観測が始まったのは、１９８６年の暮れからでした。

ところがわずか2か月後の１９８７年2月23日、天の川銀河の隣《となり》の銀河である「大マゼラン雲」で超新星爆発が起こったのです。その２日後、東大の小柴先生の研究室に超新星の発生を知らせるファックスが届きました。急いで神岡の施設からカミオカンデのデータを記録した磁気テープが宅配便で東大に送られました（当時はデータを通信回線で送れなかったため）。2月27日に磁気テープが届くと、すぐにデータ解析《かいせき》が行われ、翌28日、13秒間に計11個のニュートリノが「受かった」ことが確認されました。さらに慎重《しんちょう》な解析《かいせき》が行われて、間《ま》違《ちが》いなくニュートリノであることが検証されました。そして3月6日に論文を投稿《とうこう》し、超新星からのニュートリノを発見したことを発表したのです。この功績により、小柴先生は２００２年にノーベル物理学賞を受賞しました。

## ニュートリノのトラッピング理論も実証できた！

当時の話を続けますと、隣の銀河で超新星爆発が起こったというニュースは、私の耳にも入ってきました。当然、カミオカンデで超新星ニュートリノが検出できると思いましたね。そこで私は小柴先生の右腕《みぎうで》で、当時から親しかった戸《と》塚洋二《つかようじ》さん（故人）に「これはかならず、数発以上受かりますよ」と電話をしたのです。

ところが話を聞いてみると、データが記録された磁気テープを宅配便で神岡から送ったというのです。私は神岡で観測している誰《だれ》かがただちに東京に持って帰ってくると思っていました。世界中で超新星ニュートリノを最初に発見しようとしているにちがいないのに、そんな悠長《ゆうちょう》なことをしているなんて、と思ってしまいましたね。

実際、2月28日にはイタリアの研究グループが「超新星ニュートリノを見つけた」と先に発表しました（しかし、のちに否定されることになります）。

その前日の2月27日は、小柴先生が東大を退官される記念講演やパーティーが行われた日でした。私も講演やパーティーに出席しましたが、小柴先生は当然、超新星のことを一言も触れませんでした。パーティーで小柴研究室の大学院生だった中畑雅行さん（現在は神岡の研究所の副所長）が私のところに来て「今、磁気テープが届きました。今晩徹夜《てつや》で解析します」と教えてくれました。

翌週の月曜日、戸塚さんにふたたび電話して「どんな具合ですか？」と聞いたのですが、戸塚さんはのらりくらりとして、はっきりと教えてくれませんでした。私が早く情報を知りたかったのには、理由がありました。超新星ニュートリノが受かっていたら、そのデータをさらに解析して、私の「ニュートリノのトラッピング理論」を検証したかったのです。

とはいえ、戸塚さんの雰囲気《ふんいき》などから、超新星ニュートリノが受かっていることは予想がつきましたので、私は解析の準備を始めました。そして超新星ニュートリノ検出の論文が発表されると、すぐにデータの解析にとりかかったのです。私の研究室の大学院生だった鈴木英之さん（現在は東京理科大学教授）と2日間泊《と》まり込《こ》みで解析を行いました。

カミオカンデのデータでは、ニュートリノが放出された時間は13秒間でした。これは「ニュートリノはもとの星の内部で十数秒間ほどトラッピングされる」という私の予想と見事に一致していました。つまりこの観測で、ニュートリノのトラッピング理論が実証されたのです。すぐに論文を書いて『フィジカル・レビュー・レターズ』に投稿したのは、小柴先生が超新星ニュートリノ発見の記者会見をした日でした。

東大に来て小柴先生と出会い、超新星ニュートリノ発見の現場に居合わせて、トラッピング理論の実証もできました。すばらしい経験をさせてもらい、本当に幸運だったと思います。

## ノーベル賞は「グループ受賞」を認めるべき

小柴先生の話をしましたので、ここで「ノーベル賞」に関することに触れましょう。

私は子どものころ、「湯川先生のような、ノーベル賞をもらえる科学者になりたいな」と思っていました。ノーベル賞がどんなものか、よくは知りませんでしたが、最高の研究をすればもらえる賞なんだと思い、あこがれていましたね。

一般の方の多くも「ノーベル賞を取る科学者は、最高の科学者だ」と考えているでしょう。実際、ノーベル賞に選ばれた人たちはすばらしい科学者ばかりです。

ただし、あとから見れば間違っていたとされる研究にもノーベル賞が与《あた》えられた例はあります。たとえば１９２６年、デンマークの病理学者ヨハネス・フィビゲルはノーベル医学・生理学賞を受賞しました。受賞理由は「胃がんの原因となる寄生虫の発見」でした。しかし彼の没後《ぼつご》、彼が「がん」だと思ったものは良性の腫瘍《しゅよう》だったこと、その腫瘍が発生したのも寄生虫が原因ではなかったことがわかったのです。人間が決めるものである以上、ノーベル賞といえども間違いはあるのです。

とはいえ、ノーベル賞受賞者のほとんどはきわめて優れた科学者です。ただ同時に、ノーベル賞に選ばれなかったからといって、その科学者のレベルが一段低いのかというと、それはまったく間違いです。ノーベル賞をもらってもおかしくない人、ノーベル賞クラスの科学者はいくらでもいます。

そもそも近年の科学研究は、一人の天才が独自のアイデアを出して成功しているケースはほとんどありません。世界中の研究者が、みんなでよってたかって研究しているのです。ある人の研究の上に別の人の研究が成り立ち、その上にさらに別の人の研究が……というように、研究がどんどん積み重なって進歩しています。

海底の火山が、海中で少しずつ成長し、ある日突然《とつぜん》、新たな噴火《ふんか》によって海面上に姿を現すことがあります。同じように、ほとんどの科学者の研究成果は、海の中で少しずつ積み重なって伸《の》びているのです。そして偶然《ぐうぜん》、海面よりも上に噴出すると、それがノーベル賞になるのだといえます。ノーベル賞受賞者だけが目立ちますが、そのそばにはノーベル賞に限りなく近かった人たちがたくさんいるのです。そもそも、多くの科学者たちの研究成果が積み重なり、その研究分野全体が盛り上がってきたからこそ、最終的にノーベル賞をもらう人が現れたのだといえます。ですから、ノーベル賞に選ばれるのには、ある種の「運」のようなものもあるのです。

**＊2　ヒッグス粒子**｜あらゆる素粒子に「質量」を与える素粒子。イギリスの理論物理学者ヒッグスとベルギー出身の理論物理学者アングレールが存在を予言し、彼ら２人がノーベル賞を受賞しました。

ノーベル賞には「一つのテーマでの受賞者は最大３人まで」という縛《しば》りがあります。しかし、現代科学がおおぜいの研究者たちの成果の積み重ねでできていることを考えると、この人数制限はきつすぎると思います。特に近年は、何千人もの科学者が関わる世界規模の研究プロジェクトの成果が、ノーベル賞を受賞しています。ヒッグス粒子《りゅうし》*2の発見（２０１３年にノーベル物理学賞）や重力波*3の初観測（２０１７年にノーベル物理学賞）などがそうです。

こうした「大科学プロジェクト」について、トップの人たちだけがノーベル賞をもらうのはおかしいと思います。グループ研究を認めて、そのグループがノーベル賞を受賞できるようにするべきでしょうね（現在はノーベル平和賞のみ団体受賞が認められていますが、他の賞はすべて個人での受賞に限定されています）。

## インフレーション理論の「証拠《しょうこ》」が見えてきた

東大での私の研究活動に話を戻しましょう。

私の研究室では、「超新星」と「宇宙論」の研究グループに分かれて研究を行っていました。幸いなことに優秀《ゆうしゅう》な大学院生たちに来てもらうことができて、強力な研究室になり、良い研究を続けることができました。東大現職時代に、三十数人の院生に博士号をとってもら

＊3　**重力波**｜重力の変化を光の速さで伝える波。アインシュタインが存在を予言しました。重力波の初観測に貢献したアメリカの物理学者ワイス、バリッシュ、ソーンの各氏がノーベル賞を受賞しました。

えました。学位取得後は、ほとんどの方は佐藤研や全国の大学、またアメリカなど海外の大学で、ポスドクとなり研究を続けました。その後は、京都大学、大阪大学などの国立大学や、早稲田大学、東京理科大学などの私立大学、そしてアメリカなど海外の大学に常勤の職を得ています。さらに、そのような方のうち4名が、私がそうであったように、東大の教員公募に応募して採用され、理学研究科の物理学専攻、天文学専攻、ビッグバン宇宙国際研究センター、そして東京大学宇宙線研究所の教授として現在活躍《かつやく》しています。ほかにも大学院時代に獲得した問題発見能力・問題解決能力、さらには数理的解析能力を生かして、民間で活躍している方もたくさんいます。

　初期宇宙の研究については、１９９０年代に大きな進展がありました。それまでは私のような理論的研究が多かったのですが、新たに「観測的宇宙論」が誕生して急速に進歩し、実際の宇宙を観測してインフレーション理論を検証できるようになったのです。

　１９９2年、アメリカの人工衛星「ＣＯＢＥ《コービー》」は、宇宙の果てからやって来る電波を観測しました。それは宇宙が生まれてたった38万年しか経っていないころに生まれた「光」でした。当時の宇宙の大きさは今の１１００分の1で、宇宙の温度は約３０００度だったと推定されています。このホットな宇宙全体に満ちていた光が、その後宇宙が膨張《ぼうちょう》して冷えていくのにつれて、光の波長がどんどん伸ばされ、現在の宇宙では電波になって宇宙をただよっています。その電波を「宇宙背景放射」といい、それをＣＯＢＥが観測したのです。

宇宙背景放射の強さをくわしく調べると、わずかな強弱のムラ（ゆらぎ）があることがわかりました。このムラは、当時の宇宙の密度のムラを表しています。インフレーション理論では、宇宙初期にできた密度のムラがインフレーションで大きく引き伸ばされて、「宇宙の大規模構造」の種になったと考えています（１０９ページ）。ＣＯＢＥが観測した宇宙背景放射のムラのようすは、インフレーション理論から予想されたムラと見事に一致《いっち》していました。これは理論の正しさを強く裏づけるものだといえます。

２０００年代以降も、アメリカやヨーロッパの人工衛星が宇宙背景放射をよりくわしく調べました。そうした観測結果も、インフレーション理論の正しさを補強するものになっています。提唱した理論が観測や実験によって確かめられることは、理論研究者にとって大きな喜びです。インフレーション理論を発表した当時は、この理論が検証される時代が来るとは思っていませんでしたので、喜びはひとしおです。

## 「ビッグバン宇宙国際研究センター」をつくる

東大時代の初期宇宙の研究について、うれしかったことがもう一つあります。それは初期宇宙の世界的研究拠点をつくることができたことです。

1995年、当時の文部省が「COE（卓越《たくえつ》した研究拠点《きょてん》）形成基礎《きそ》研究」という大型プログラムをつくりました。毎年3億円の研究資金を5年間もらえるというもので、いわゆる競争的資金として公募《こうぼ》されたのです。そこで、東大の物理学と天文学の10名の先生が協力し、私がリーダーとなって「初期宇宙の探求」というテーマで応募しました。全国で何十倍という競争率でしたが、東大からの応募《おうぼ》の中では唯一採択《ゆいいつさいたく》されて「初期宇宙研究センター」が設立されたのです。当時49歳だった私が、初代センター長となりました。最初は5年間の研究期間でしたが、外部の評価委員会から高い評価を受けることができたため、2年間の期間延長が認められました。

「COE形成基礎研究」では、研究期間が終わったあとに、研究拠点を学内の施設として定着させることが推奨《すいしょう》されていました。そこで多くのみなさんの支援をいただき、初期宇宙センターの期間終了《しゅうりょう》を待たず、1999年に「ビッグバン宇宙国際研究センター」が東大の研究所として発足しました。センターでは理論研究のみならず、実験や観測の研究者に「研究協力者」になってもらい、理論と観測の両面から宇宙の初期の姿に迫《せま》ろうとしたのです。また、外国人客員教授のポストを一つ置き、海外の第一線の研究者に交替で滞在《たいざい》してもらっています。

2001年のシンポジウムのために来日されたホーキングさんと

さらにセンターでは、国際シンポジウムを何度も開催《かいさい》しました。世界的に有名な理論物理学者のホーキングさん（151ページ）にも、何度か来てもらいました。2001年11月のシンポジウムで、ホーキングさんに一般向けの講演会をお願いしたところ、聴講《ちょうこう》を希望する人が殺到《さっとう》してびっくりしましたね。来場者の行列が会場の東大・安田講堂から正門を経て、赤門の途中《とちゅう》まで伸びてしまうほどで、一部の方には入場をお断りせざるをえませんでした。それでも、ホーキングさんのウイットとユーモアに富んだ話を、多くの方が楽しんでくださり、本当によかったです。

宇宙物理学の分野を盛り上げるために東大に呼ばれた者として、初期宇宙の研究拠点をつくることで、それに貢献《こうけん》できたことをうれしく思っています。

## 「学会」とはどんな組織か

科学者・研究者も一定の年齢《ねんれい》になると、組織の「長」を務める機会が増えてきます。私は１９９７〜98年と、２００５〜06年の2回、それぞれ1年の任期で、「日本物理学会」の会長を務めました。

「学会」という組織がどのようなものか、少しお話ししましょう。

学会は、それぞれの学問分野の研究者が集まった組織です。年次総会や発表会などを開いて、研究者同士の交流や討論の場を提供したり、学術誌を発行して最新の成果を発信したりしています。また、一般向けの講演会などを実施《じっし》することがあります。組織の規模は、会員数11万人以上の「日本内科学会」から、１００人程度の会員数の学会までさまざまです。一人の研究者が複数の学会の会員になっているのが一般的です。

学会に入会し、総会などに参加することで、若い研究者は他大学の同世代の人と知り合いになれて、互《たが》いに情報交換ができるというメリットがあります。また学会で若手が発表の機会を与《あた》えられると、自分の業績が学会全体に知れ渡ることになりますので、これも大きなメリットです。

しかし最近は、会員数が減っている学会も少なくありません。日本物理学会も、私が会長をしていた時は2万人近い会員がいました。ところが現在（２０１9年末時点）では1万5５００人ほどにまで減ってしまっています。一方、日本天文学会のように、会員数が年々増えている学会もあります。

会員数が減少している学会では、学生会員、特に博士課程の学生会員が減っています。その分野で博士課程の学生数自体が減っているためです。その背景には、博士号を取っても大学等のパーマネント（期限なし）のポストになかなか就けないために、博士課程に進む若手研究者が大きく減っている現状があります。科学者を志す若いみなさんへの本にこうした現状を書くことは恥《は》ずかしく、申し訳ないことですが、これは本当に日本の科学の大問題です。本書でも紹介《しょうかい》したように、国も若手研究者のパーマネント・ポストの割合を増やすための施《し》策《さく》を打ち出したりしています。また「博士課程教育リーディングプログラム」のように、アカデミア以外の分野でも活躍できる人材の育成にも力を入れています。ですがとても十分とはいえず、今後もさまざまな対策が必要です。

加えて、若手研究者が学会に入会するメリットを感じなくなっていることも、会員数の減少に影響《えいきょう》しています。確かに他大学の研究者との交流や情報交換《こうかん》は、今はウェブ上で行うことが可能です。２０２０年は新型コロナウイルス問題で、学会の年次総会自体がウェブ開催《かいさい》されています。

とはいえ、いわゆる「フェース・トゥ・フェース」の交流も必要だと思いますので、新型コロナ問題が終息すれば、実際に集まっての会合も復活するでしょう。学会での情報交換や人脈づくりといった意義は、今後も十分にあると私は考えています。

## アウトリーチ活動は理学系研究者の使命

それから、２００１年4月から２００３年の3月まで、私は東大の理学部長（大学院の理学研究科長および理学部長）になりました。理学部長のような行政的な職務をしようという気はあまりなかったのですが、まわりから祭り上げられた形でした。

理学部長になって私がやろうと思ったことの一つは、一般のみなさんに広く「理学」のおもしろさを伝えることでした。基礎科学である理学は、工学や医学などと違い、すぐには人の役に立たない研究ばかりしています。その研究費は税金から出してもらっているのですから、国民のみなさんの理解を得ることは理学系の研究者として当然だと思ったのです。

昔の東大には、こうしたアウトリーチ活動（１３０ページ）の意義を認めない、古い考えの先生も多くいました。私が東大に移ってきたころ、ある先生が教授会の席上でこう言ったことをおぼえています。

「みなさんの中に、素人《しろうと》向けの解説本を書いている人がいるようだが、研究者は論文を書くことが仕事です。解説本を書いたら、その分だけ論文が書けなくなるのだから、論文の執筆《しっぴつ》本数を数える時に『マイナス1本』とすべきです」

当時の私は、一般の方向けの解説書を書いたことがありませんでしたが、こんなことを堂々という先生がいるのかと、びっくりしましたね。

でも私が理学部長になったころは、時代もだいぶ変わっていました。むしろアウトリーチ活動を積極的にやるべきだという機運が高まりつつあったのです。

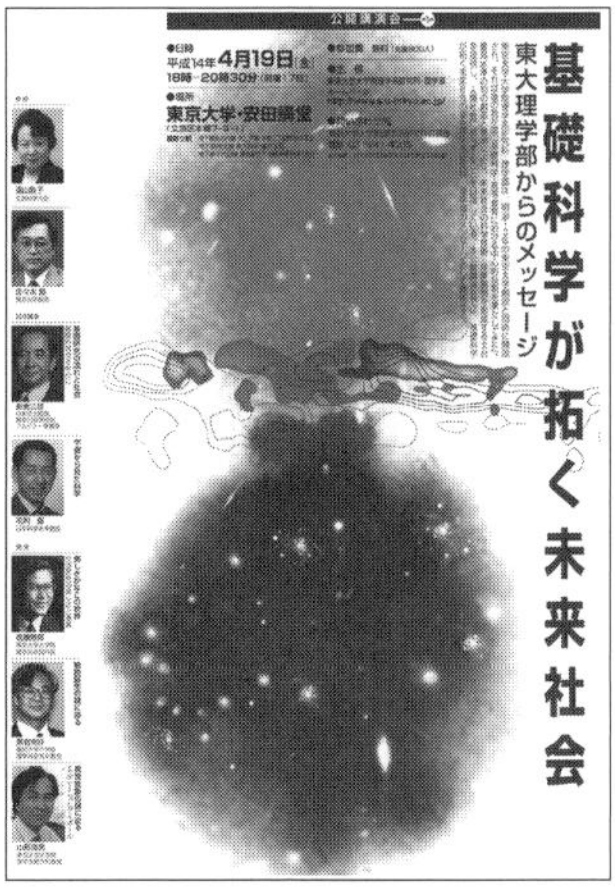

第１回講演会のポスター（写真提供：東京大学大学院理学系研究科）

そこで理学のおもしろさを広く一般の方や学生に伝える「理学部公開講演会」を毎年1～2回開催するようにしました。第1回の講演会は2002年4月に行われ、宇宙飛行士の毛利《もうり》衛《まもる》さん（日本科学未来館館長）に「宇宙から見た科学」というタイトルで講演してもらいました。毛利さんは化学が専門の科学者でもあるのです。また私も「美しきかなこの世界」と題して、科学研究の楽しさと意義についてお話ししました。公開講演会は、２０２０年3月は新型コロナウイルスの感染防止のために残念ながら中止になったと聞きましたが、２０１９年までにのべ31回開催されています。

アウトリーチ活動以外では、諮問《しもん》委員会を設置して、理学部の運営について広く社会から意見を求めました。また、世界の大学、特に近隣《きんりん》のアジア太平洋地域の大学と連携《れんけい》・協力するために、国際シンポジウムや国際スクールの援助《えんじょ》なども行いました。

理学部長時代にもっともうれしかったことは、小柴先生が２００２年にノーベル物理学賞を受賞されたことでした。小柴先生の受賞は東大の基礎科学分野のレベルの高さを示すものであり、その中核《ちゅうかく》をなす理学部の誇《ほこ》りでもありました。

当時、小柴先生はマスコミなどを通して、すぐに役立ちそうな応用科学の分野ばかりを重視する風潮を指摘《してき》し、基礎科学の重要さを伝えられていました。小柴先生のように、理学系の研究者はいつも一般の方に向けて、科学のおもしろさや意義、中でも理学・基礎科学の魅《み》力《りょく》と重要さを発信してほしいと思います。

## 東大の定年退職を迎《むか》えて

東大に赴《ふ》任《にん》して四半世紀以上の年月が経ち、私もいよいよ定年を迎えることになりました。現在の国公立大学の定年は65歳ですが、当時の東大の定年は63歳でした（定年延長の経過措《そ》置《ち》のため）。そのため私の定年は、満63歳を迎えた翌年である２００９年3月末でした。

その2年ほど前から、文部科学省が「世界トップレベル研究拠点プログラム」という事業を始めました。世界中から人材を集めて、文字通り世界トップレベルの研究拠点をつくろうという構想であり、公募が行われたのです。

東大の物理系でも、どのような形で応募しようかと議論になりました。最終的に、数学・物理学・天文学の各分野が連携《れんけい》して、宇宙の起源と進化の解明をめざす世界に類のない融合《ゆうごう》研究拠点をつくろうということになり、私も提案者の一人に名を連ねたのです。

これが採択《さいたく》されて「数物《すうぶつ》連携宇宙研究機構（ＩＰＭＵ）」[*4]が２００７年10月に設立されました。組織のトップである初代機構長には、東大の素粒子物理を出て、アメリカのカリフォルニア大学バークレー校で活躍していた村山斉《むらやまひとし》さんを招聘《しょうへい》することができました。物理の才能はもちろんですが、プレゼンテーションやコミュニケーションの能力が抜群《ばつぐん》でしたね。現

＊4　**数物連携宇宙研究機構（IPMU）**｜その後、アメリカのカブリ財団から寄附を受けて基金を設立し、名称を「カブリ数物連携宇宙研究機構（カブリIPMU）」に改称しました。

在の機構長の大栗博司《おおぐりひろし》さんも、京大の修士を終えていきなり東大助手に抜擢《ばってき》され、才能が知れ渡《わた》っていた人です。

そして２００９年3月、ついに定年退職の日がやって来ました。最終講義は3月6日の午後4時半から、理学部1号館2階の小柴ホールで「超新星からインフレーション宇宙へ」というタイトルで行いました。午後6時からは物理学教室主催《しゅさい》のパーティーも開いていただきました。

京都大学には学生時代をふくめて約18年、東京大学には約26年お世話になり、よき先輩、よき同僚、よき後輩に恵《めぐ》まれた実りある研究生活を送ることができました。特に私の研究室では、世界に先駆《さきが》けた優れた研究を行うことができ、それを支えてくれた院生や研究員のみなさんには今でも本当に感謝しています。

# COLUMN 4 ホーキングさんとの思い出

## ブラックホールの蒸発理論などで世界を驚《おどろ》かせる

この章で、イギリスのホーキング博士に、私たちが開いた国際シンポジウムに何度も来てもらった話をしました。私はホーキングさんと30年以上にわたり、家族ぐるみでお付き合いさせてもらいました。２０１８年3月14日に逝去《せいきょ》されたホーキングさんの思い出話を少ししましょう。

私より3歳《さい》年上のホーキングさんの名前を初めて聞いたのは、私が大学院生のころでした。「特異点定理」（１９６６年に博士論文の中で発表）を証明した若き秀才《しゅうさい》が、イギリスの名門ケンブリッジ大学にいるという噂《うわさ》は、当時から鳴り響《ひび》いていたのです。

特異点定理とは「宇宙が膨張《ぼうちょう》しているなら、宇宙の出発点は、温度も密度も無限大となり、あらゆる物理法則が成り立たない1点である『特異点』でなければならない」というものです。これは宇宙の始まりを物理学ではけっして解き明かすことができないことを意味するものであり、世界中に衝撃《しょうげき》を与《あた》えました。

そして私が博士号を取った1974年に、ホーキングさんは「ブラックホールの蒸発理論」を発表しました。それまでブラックホールは、周囲の物質を飲みこんでどんどん大きくなる一方だと考えられていました。しかしホーキングさんは、量子論の効果を考えると、ブラックホールは逆に少しずつ小さくなりながら温度を上げていき、最後に大爆発《ばくはつ》を起こして消滅《しょうめつ》することを明らかにしました。これは彼の生涯《しょうがい》最大の業績であり、ふたたび世界を驚かせたのです。

さらに1983年には「無境界仮説」を発表しました。この仮説によると、宇宙の始まりは特異点のような「1点」ではなく、「半球面の全体」で表されるようなものだといいます。つまり彼は、かつて自分が発表した「特異点定理」を乗り越《こ》えて、宇宙の始まりを物理学で説明しようとしたのです。そして宇宙は「虚数《きょすう》の時間」というふしぎな時間に生まれたのだと、彼は説明しました。虚数の時間が私たちの知っている時間（実数の時間）に変わった時、超《ちょう》ミクロの宇宙がこの世に姿を現したというのです。彼の説は、仮説の上に仮説を重ねたものですが、きちんとした科学理論であることは間違《まちが》いありません。

ほかにも、タイムトラベルの可能性について考察するなど、ホーキングさんは自分の興味のおもむくままに、精力的な研究を続けました。

彼は若くしてＡＬＳ（筋萎縮性側索硬化症《きんいしゅくせいそくさくこうかしょう》）という難病にかかり、次第に身体の自由を奪《うば》われ、３年ほどで死亡すると宣告されて絶望したといいます。しかし幸運にも、病気の進行は非常にゆるやかでした。そのため、車椅子《いす》を使い、キーボードで文字を打って文章をつくり、それを合成音声装置に送って会話しながら、研究を続けることができたのです。

## ホーキングさんが語った「ゴール」

私は１９８０年代に、国際会議でホーキングさんと何度か顔を合わせ、言葉を交わすようになりました。彼は非常にアグレッシブで、持論について語る姿に「自己主張の強い人だな」という印象を受けました。ですがふしぎと気が合い、同じ分野の科学者同士という枠《わく》を超《こ》えてお付き合いをさせてもらいました。彼が子どもたちを連れて日本に来た時には、家族ぐるみで会いました。また彼の次男ティムは、私の長男が高校時代にケンブリッジのパブリックスクールに留学した時、同級生として一緒《いっしょ》に学ぶということもありました。

彼は学問に対する強い情熱と意志を持ち、好奇《こうき》心《しん》と行動力にあふれ、お茶目でわがままな、本当に魅力《みりょく》あふれる人でした。「身体障害者には、重力のない宇宙空間はもっとも優しい環《かん》境《きょう》だ」と語り、いつか宇宙旅行をしたいと願っていました。そして２００７年、アメリカで念願の「無重力飛行」を体験しました。航空機で高度１万メートルまで上昇《じょうしょう》したあと、高度２５００メートルまで急降下し、30秒間ほどの無重力状態をつくり出すのです。８回の上昇・下降をくり返し、計４分間の「宇宙遊泳」を楽しんだそうです。２００９年に計画されていた本当の宇宙旅行が実現されなかったのが残念です。

ホーキングさんは、一般の人や子どもたちへもメッセージを送り続けました。講演を積極的に行い、多くの一般向けの本を著したのです。彼の著書の日本語版の出版には、私も監訳《かんやく》などで関わらせてもらいました。「この世界や宇宙は、謎《なぞ》に満ちているからこそおもしろいのだ」という思いを、若いみなさんに伝え続けた人生だったと思います。

彼が亡くなって１週間後、葬儀《そうぎ》の案内状をご家族からいただきました。３月31日に大学の

2007年12月、ホーキングさんが新たに設立したケンブリッジ大学
理論宇宙論研究センターの開所式典にて（佐々木節氏撮影）

教会で、マスコミをシャットアウトし、身近な人のみで行うというものでした。残念ながら都合をつけられず、ケンブリッジの友人たちにご家族への伝言を託《たく》すだけになってしまいました。

　葬儀の案内状には、以前彼が語った次の言葉が書かれていました。

“My goal is simple. It is a complete understanding of the universe, why it is as it is and why it exists at all.”（私のゴールはシンプルです。それは宇宙を完全に理解すること、宇宙はなぜ今のような姿になったのか、宇宙はなぜ存在するのかを知ることです）

彼が語ったゴールはまさに、私たち理論物理学者・宇宙物理学者全員がめざすゴールです。

彼の魂《たましい》の冥福《めいふく》を祈ります。

# 第5章

# 21世紀の<br>科学者のために

WORLDLY WISDOM FOR 14 YEARS OLD

# 自然科学研究機構の機構長になる

東大を退職後、私はＩＰＭＵ（１４９ページ）の特任教授（主任研究員）になり、また私立の明星《めいせい》大学の客員教授になりました。特任教授は国立大学の法人化[1]前には聞いたこともなかった職名ですが、法人化以後、多様な雇用《こよう》の仕方が大学に認められたことから急激に数が増加した職です。一般《いっぱん》的には短期雇用で、常勤もあれば非常勤もある、その雇用ごとに決められている多様な形態の職です。客員教授も同じように短期雇用の多様な雇用形態の職ですが、違いは前者が特別に定められたミッションをする職であるのに対して、後者は一般的に大学での研究教育の担う職だということでしょう。

私はＩＰＭＵで特任教授として常勤で働く道もありましたが、それでは、若い研究者のポストを奪《うば》うことになってしまいます。常勤職給与《きゅうよ》で、2～3人のポスドクや若手研究者を雇《やと》えるからです。私は、定年退職後に研究を続けるにしても、若い人の活躍《かつやく》の場を減らすようなことはしてはいけないと、ずっと思っていました。幸いにも明星大学から声をかけていただいたので、ＩＰＭＵのほうに週2回ほど行くことを認めてもらい、残りは明星大学で常勤で務めることになりました。

＊1　**国立大学の法人化**｜2004年、それまで国の内部組織だった国立大学がそれぞれに法人（国立大学法人）となり、各大学が自主的・自律的に大学運営を行うようになりました。

こうして、明星大学で若い方を教えたり、IPMUに顔を出したりしながら、自分の好きな研究を楽しみながら進めよう、そんな退職後の生活を思い描《えが》いていたのです。実際に明星大学では、講義やセミナーに加え、望遠鏡を使った「天文観測実習」も担当し、卒業研究も担当し、若い学生との触《ふ》れ合いを楽しんでいました。

ところが夏になって、天文学の研究者から「自然科学研究機構の次期機構長の選考が始まっているのですが、佐藤さんをぜひ推薦《すいせん》したいです」というお話が舞《ま》い込《こ》んできました。

「自然科学研究機構」はあまり聞いたことのない組織名だと思いますので、その説明から始めましょう。

まず、日本全国に「大学共同利用機関法人」という国立の研究所が全部で19あります。これは、大型の実験・観測装置（巨大《きょだい》望遠鏡など）や高速計算機といった、非常に高額で大学単独ではつくれない研究施設《しせつ》を持ったり、貴重な文献《ぶんけん》や資料を一つの組織で収集・保存したりする研究所です。みなさんに名前がよく知られていそうなものでは、「国立天文台」「国立極地研究

2014年6月、機構長室にて

所」「国立歴史民俗《みんぞく》博物館」などでしょうか。これらの研究所の装置や文献・資料は、国公立大学だけでなく、私立大学も利用できます。

そして19の研究所は、4つの「研究機構」というグループに分かれています。その一つが「自然科学研究機構」です。国立天文台、核融合《かくゆうごう》科学研究所、基礎《きそ》生物学研究所、生理学研究所、分子科学研究所の5つの研究所で基本的に構成[＊2]されています。

宇宙（国立天文台）、エネルギー（核融合科学研究所）、生命（基礎生物学研究所、生理学研究所）、物質（分子科学研究所）と、五つの研究所の研究対象は広い範囲《はんい》におよんでいます。研究所同士の連携《れんけい》を図ったり、異なる科学分野を融合した新しい研究領域を開拓《かいたく》することなどが、自然科学研究機構の役割です。

このような組織のトップに推薦したいというお話だったのですが、機構内部にも適任者がおられるので、私のでしゃばる幕ではないのではないかと正直思っていました。しかし何人か推薦するうちの一人にしたいとのことでしたので、だったら選ばれることもないだろうと思って了解《りょうかい》したのです。ところが最終的に、私が次期機構長に選ばれることになりました。そのため、1年間だけ明星大学に勤めて、次の年の２０１０年4月から自然科学研究機構の機構長に就くこととなったのです。

**＊2　5つの研究所で基本的に構成**｜現在は「アストロバイオロジーセンター」（後述）など4つのセンターを含めた9つの研究組織で構成されています。

## 研究をマネージメントする「ＵＲＡ」を設置する

こうして思いもかけないポストに就きましたが、選ばれたからにはがんばろう、自然科学研究全体の振興《しんこう》に貢献《こうけん》しようと思いました。

機構長として6年間在職しましたが、一番がんばってよかったと思っていることは、全国の大学との連携を深められたことです。自然科学研究機構の5つの研究所は「大学共同利用機関」ですから、全国の大学と緊密《きんみつ》に連携し、各大学の「研究力」の強化に努めることが大切な役割だからです。

そのために、機構本部や各研究所に「ＵＲＡ」とよばれる人を配置しました。ＵＲＡは大学等の「リサーチ・アドミニストレーター」という役職で、研究のマネジメントを行う人、いわば研究推進の「軍師」のような人です。研究戦略を立てるために情報を集めたり、研究資金を獲得《かくとく》する方策を練ったり、研究成果を活用する道を探したりと、さまざまな仕事を行います。従来はこれらの仕事を研究者自身がしていましたが、負担が大きく、本来の研究活動に悪影響《えいきょう》を与《あた》えていました。そこで各大学では、専門知識を持った人（もともと研究者だった人など）をＵＲＡとして配置して、研究活動を強力にサポートするようになっています。

自然科学研究機構でもＵＲＡを配置して、機構全体や各研究所の活動の広報、情報発信、企《き》画《かく》や立案、各大学との連携強化に努めました。また海外にもＵＲＡを駐在《ちゅうざい》させて、世界の最新研究情報を収集したり、国際共同研究の推進を支《し》援《えん》したりしました。さらに、各大学のＵＲＡをつなぐ全国組織をつくって、お互《たが》いの連携を強化したり、ＵＲＡの育成に努めたりしました。

自然科学研究機構のこうした仕事は「地味」なので、若いみなさんにはわかりづらかったり、興味がわかないかもしれません。でも「ＵＲＡ」という職種の名前は、ぜひおぼえておいてください。科学研究を推進する上で、今後大きな役割を果たすことは間《ま》違《ちが》いありません。みなさんの中からもＵＲＡとして活躍し、科学に貢献する方がたくさん出てくると思います。

## 「宇宙」と「生命」を融合した研究所を新たにつくる

機構長時代にもう一つ、大きな貢献ができたと思っていることは、「アストロバイオロジーセンター」という新たな研究所をつくったことです。

アストロバイオロジーを直訳すると「宇宙生物学」。つまり宇宙における生命・生物を研究する学問のことです。「え、宇宙人の研究をするの？」と思うかもしれませんね。広い宇宙のどこかには、人類のような知的生命、いわゆる宇宙人がいてもおかしくないと、私も思います。ただし今のところ、地球外の知的生命が地球を訪れたことを示す科学的な証拠《しょうこ》はなく、地球外からの人工的なメッセージを受信したこともありません。ですから本格的な「宇宙人研究」を行うのは、時期尚早《しょうそう》でしょう。

　現在、「宇宙における生命」の研究に関して、科学者が力を入れているのは「太陽系内の生命探査」と「系外惑星《けいがいわくせい》の研究」の二つです。

　最初の「太陽系内の生命探査」では、火星、そして木星や土星の「氷衛星」で生命が見つかる、あるいは過去に生命がいた痕跡《こんせき》が見つかるのではないかと期待されています。火星に関しては、太古の火星には海があったことが確実視されていて、海の中で原始的な生命が誕生していたかもしれないと考えられています。現在の火星の表面は乾《かわ》ききっていて生命には厳しい環境《かんきょう》ですが、火星の地面の奥《おく》深くにはもしかすると生命が生き残っている可能性も捨てきれません。また、木星の周囲を回る衛星ガニメデやエウロパ、土星の衛星エンケラドスは、表面をぶ厚い氷が覆《おお》っていますが、その下には広大な海（地下海）が広がっていることがわかっています。そこにもやはり、生命がすんでいる可能性があるのです。

　地球外の生命が見つかれば、たとえ過去にいた痕跡であっても、それは人類史上に残る大発見です。ＮＡＳＡ（アメリカ航空宇宙局）などが行う近年の火星探査や木星・土星探査は、こうした生命探査がおもな目的になっているといえます。ごく近い将来に、私たちは「初めての地球外生命の姿」を見ることになると思います。

もう一方の「系外惑星の研究」は、太陽系の外（系外）にある惑星、つまり太陽以外の星（恒星《こうせい》）の周囲を回る惑星の探査や研究です。１９９５年、スイスの天文学者マイヨールとケローが、ペガスス座51番星という恒星の周囲に惑星を発見しました。これが史上初の系外惑星の発見であり、二人はこの功績で２０１９年のノーベル物理学賞を受賞しました。系外惑星はその後、続々と発見され、これまでに（２０２０年7月末時点）４３００個以上も見つかっています。その中には、地球によく似た環境を持ち、生命がすむ可能性を秘めた惑星も相当数あるのです。

自然科学研究機構には、「宇宙」を研究する国立天文台と、「生命」を研究する基礎生物学研究所と生理学研究所があります。さらに分子科学研究所も生体物質などを研究していて、生命と関係があります。これはぜひとも、宇宙と生命という異なる分野を融合した（「学際的」ともいいます）新しい研究領域をつくり出したいと、私は着任当初から考えていました。5年ほど準備を進め、文部科学省に新しいセンター設立の概算《がいさん》要求を出しました。厳しい経済情勢ですので、金額は大幅《おおはば》に削減《さくげん》されたのですが、最終的に設立を認めてもらい、２０１5年に「アストロバイオロジーセンター」が誕生したのです。センター長には、系外惑星研究の分野で活躍されていた田村元秀《たむらもとひで》さん（東京大学教授。国立天文台の教授も併任）に就いてもらいました。

## 分野融合領域の研究で大きく遅《おく》れている日本

本書の中で「分野融合的な研究」の重要性について何度も触れてきました。今後の科学の発展のカギを握《にぎ》るのは、分野融合的・分野横断的な研究や発想だと私は考えています。ですが、日本の科学研究は分野融合領域で世界に遅れをとっているのです。

文部科学省の「科学技術・学術政策研究所（ＮＩＳＴＥＰ）」が実施《じっし》している「サイエンスマップ調査」というものがあります。これは、論文データベースを分析《ぶんせき》して、国際的に注目を集めている研究領域を定量的に把握《はあく》し、研究領域同士の関係や発展のようすを示した「科学研究の地図」です。

サイエンスマップ２０１６（２０１８年10月公表）によると、世界的に注目を集めている研究領域として８９５領域が挙げられています。その数は、サイエンスマップ２００２の５９８領域に比べて約50パーセントも増えています。増加の要因は、世界の論文数の増加、中国などの研究者の参画による研究者コミュニティーの拡大、新たな研究領域の出現、既存《きそん》の研究領域の分裂《ぶんれつ》など、複合的なものだと考えられています。

８９５の研究領域のうち、日本が参画しているのは33パーセントです。世界で注目されている研究領域で、日本の研究者が関わっているのはたった3分の1なのです。アメリカの90パーセント、イギリスの63パーセント、ドイツの56パーセントに比べて、かなり低い値です。中国は、サイエンスマップ２００２では12パーセントでしたが、同２０１６では51パーセントに上昇《じょうしょう》し、日本を追い抜《ぬ》いています。

また、科学研究全体に分野融合的・学際的な研究領域が広がっていることも明らかになっています。サイエンスマップ２００２では、分野融合的な研究は生命科学系に集中していました。しかし同２０１６では、マップ全体に広がっています。現在の科学では、さまざまな知識の組み合わせにより、新たな知識・新たな研究領域が生み出され、発展していることがうかがえます。

世界では分野融合的研究がどんどん進んでいるのに、日本はそうなっていないのは、日本の科学研究の「たこつぼ化」が理由です。自分の専門領域だけに閉じこもり、その分野の既存の論理に従っているほうが、論文は書きやすいかもしれません。でもそれでは、新たな知見・新たなひらめきは生まれないのです。異分野を学ぶことで自分の研究に関するヒントも出てくるでしょうし、異分野の研究がおもしろければ、自分の研究分野と関係する融合的な研究もできるでしょう。

本書で紹介《しょうかい》したように、私のインフレーション理論は素粒子《そりゅうし》論を初期宇宙論に適用した、分野融合的な研究でした。アストロバイオロジーもまさに、そうした研究です。天文学者は「宇宙の中で、地球は特別な星ではない。だから地球のように生命を育む星はありふれているだろう」と思います。一方、生物学者は「地球の生命を知るほど、生命の精巧《せいこう》さ・見事さに驚《おどろ》き、生命の誕生は奇跡《きせき》だと感じる。だから宇宙で生命が簡単に見つかるとは思えない」と考える傾向があります。まったく違う思想の両者が、アストロバイオロジーという新しい学問の中でどうぶつかり、融合して、新たな知が生まれるのか、本当に楽しみです。

## 日本学術振興会で新たな職務に就く

２０１６年3月で、私は6年間にわたる自然科学研究機構長の任期を終えました。そして同年4月からは、新たに「日本学術振興会」の「学術システム研究センター所長」に就くことになりました。

日本学術振興会（学振と略します）は、天皇陛下の御下賜金《ごかしきん》によって１９３２年に創設されて以来、約90年にわたって日本の「学術研究」の振興を担ってきた機関です。自然科学だ

大隅良典さんが記した色紙（写真提供：日本学術振興会）

けではなく、人文・社会科学の研究ももちろん含《ふく》みます。

「学術研究は国力の源であり、イノベーションの源泉そのものである」という考えに基づいて、ほぼすべての大学（国公立・私立）や研究所の研究を支援《しえん》してきました。

「学術」とは何かについては、第1章のコラムでも触れています。ひと言でいえば、「自分の興味のあること、そしてそれが人間にとって役に立つのではないかと思われることを研究する」のが学術研究です。

２０１６年にノーベル生理学・医学賞を受賞した大隅《おおすみ》良典《よしのり》さんが、その年の11月に日本学術振興会を表敬訪問されました。大隅さんは酵母《こうぼ》細胞《さいぼう》を使ってオートファジー（細胞の自食作用）のしくみを明らかにしたことで、ノーベル賞に輝《かがや》いたのです。

当時、私も安西祐一郎理事長や他の方々とともに懇談《こんだん》に同席させていただきました。その際に大隅さんは「Lessons from Yeast（酵母からの教え）知る喜び」と書いた色紙を学術振興会に贈呈《ぞうてい》してくれました。この「知る喜び」こそが、学術研究の意義や目的を象徴《しょうちょう》しているものだと思います。オートファジーのしくみの解明は、医療《いりょう》に役立つことが期待されています。しかし大隅さんは「おもしろかったから、知りたかったから研究した」ことを強調され、科学が「役に立つ」かどうかで判断されることの弊害《へいがい》に強く警鐘《けいしょう》を鳴らされています。

## 科研費制度の改革に取り組む

日本学術振興会が行っている大きな事業は二つあります。「科研費」と「特別研究員制度」です。

科研費という言葉は、本書の中でも何度か登場しています。正式名称《めいしょう》は「科学研究費（助成事業）」ですが、「カケンヒ」とよばれるのが普通《ふつう》です。大学等の研究者個人または研究者グループが計画する学術研究に対して助成される研究費で、日本の競争的資金の5割強（約2300億円）を占《し》めます。科研費という名前から、自然科学分野の研究に限定されるイメージがありますが、人文科学・社会科学の研究も対象に含まれます。

個人や少人数のグループで申請《しんせい》できる科研費は、いくつかの種目に分かれています。助成額がもっとも大きい「特別推進研究」は、最大5億円（これを超えることも可能）が助成されます。採択《さいたく》件数がもっとも多い「基盤《きばん》研究C」は最大500万円です。博士の学位取得後8年未満の研究者[*3]が一人で行う「若手研究」という種目もあり、最大500万円です。

＊3　**博士の学位取得後8年未満の研究者**｜経過措置として39歳以下の、博士の学位を未取得の研究者も対象となります。また産前・産後休暇や育児休業の期間は除かれます。

1年間に約10万件の応募がありますが、その研究分野をよく知る研究者が「ピア・レビュー（同業者による審査）」を行い、独創性や先駆性《せんくせい》を審査《しんさ》して採択の可否を決めます。採択率は種目によって違いますが、基盤研究Cや若手研究は約30パーセント、金額の大きな特別推進研究は約10パーセント、基盤研究S（最大2億円）は約15パーセントです。

私が所属していた「学術システム研究センター」は、科研費事業の中で、公募《こうぼ》要領や審査基準の見直しなど、科研費制度の運営全般《ぜんぱん》に対する提案や助言を行います。また、７０００人以上におよぶ審査委員の候補者の選考や、審査の検証も行っています。個々の応募案件の審査や採択の判断自体には関わらず、あくまで審査を行うための事務局・裏方の仕事です。センターの研究員はすべて非常勤で、第一線で活躍《かつやく》するトップレベルの現役の研究者が就いています。

私はセンターのトップとして、科研費改革の仕事にも関わりました。文部科学省が２０１6年に発表した「科研費審査システム改革２０１８」の実行・実施に寄与《きよ》したのです。じつは私は、センターの所長に就く前から、この科研費改革の原案づくりにも関係有識者として参加し、委員や分科会会長・部会長などを務めていました。

世界の研究の最前線では、新たな学際的・分野融合的な領域が展開され、新しい「知のフロンティア」を切り拓くために熾《し》烈《れつ》な国際競争が行われています。しかし日本では、厳しい財政状況の中で大学等の研究環境は悪化しており、このままでは学術研究が衰退《すいたい》してしまうという強い危機意識をもって、各分科会や部会でこれからの学術研究のあり方を議論していました。その結論の一つとして、日本の研究に欠けている「挑戦《ちょうせん》性、総合性、融合性、国際性」に着目し、研究費の配分に関する思い切った見直しを実施する必要を訴えたのです。科研費改革は、これをめざすために進められたのです。

改革のくわしい説明は省略しますが、金額の大きい科研費種目では、狭《せま》い分野で審査するのではなく、広い分野の研究者で審査する「総合審査」を行うことになりました。また、従来の申請書類では研究者の過去の実績ばかりが高く評価され、若手やその分野で実績がない研究者からの挑戦的研究は採択されにくいことへの反省から、実績を記載《きさい》するのではなく応募者の研究遂行《すいこう》能力を書くように求めることになりました。①研究の学術的背景、研究課題の核心《かくしん》をなす学術的「問い」、②研究の目的および学術的独自性と創造性、③その研究で何をどのように、どこまで明らかにしようとするのか、について具体的に記載することを求めるようにしています。

## 学術振興が日本のイノベーションを支える

日本学術振興会のもう一つの事業の柱である「特別研究員制度」についても、本書で何度も触れています。若手研究者が自由な発想のもとに、主体的に研究課題を選びながら研究に専念できる機会を提供することが制度の目的です。特別研究員には「研究奨励《しょうれい》金」という名の給与が支給され、また科研費の「特別研究員奨励費」への応募が可能になります。

特別研究員はポスドク（大学院博士課程修了《しゅうりょう》者）だけでなく、博士課程在学者も対象となっています。前者を「特別研究員ＰＤ（学振ＰＤ）」、後者を「特別研究員ＤＣ（学振ＤＣ）」と呼んでいます。今は学振ＰＤより学振ＤＣの人数のほうが圧倒《あっとう》的に多くなっています。応募に対する採用率は、２０２０年度で学振ＰＤ・ＤＣともに約20パーセントです。

学術システム研究センターでは、特別研究員の審査・採用を行う「審査委員」の候補者（約１８００名）の選考を行い、審査会の運営をサポートしています。審査・採用そのものにタッチしないのは、科研費の場合と同じです。

科研費も特別研究員も「自分の発想で、自分がおもしろいと思ったことを研究する」という学術振興のためのしくみです。近年は「出口指向」の研究の必要性が叫《さけ》ばれ、科研費を減額して他の科学技術関係の予算に変えようとする議論もあります。しかし、科研費は学術研究を通じて「知」の創造を進め、人間社会に貢献するものであり、目先の出口を求めるものではありません。そして学術の振興は最終的に、日本社会の基盤である科学技術の根幹を強化し、同時に研究活動を通じて人材の育成を図ることで、日本のイノベーションを支える役割を果たしているのです。

本章の話は、科学研究・学術研究を支える「裏方」の話題が多かったので、若いみなさんにはなじみにくいものだったと思います。ですが、私たちがあれこれと議論して、新たに始めたり改革しようとしているのは、科学の将来のため、みなさんが科学者になった時の環境を整えておきたいためです。ですから私としては「みなさんの将来を考えて、大人たちががんばっているので、みなさんは大いなる希望を胸に科学者をめざしてください」と伝えたいと思います。

# COLUMN 5 科学者と「倫《りん》理《り》」

## 研究不正問題について

この章のコラムでは、科学者・研究者と「倫理」の問題についてお話しします。まずは研究不正の問題についてです。

研究者の研究不正の問題がニュースになっているのを、みなさんも見聞きしたことがあるかもしれません。自然科学の分野だけでなく、人文・社会科学の分野でも研究不正が起こっています。日本だけでなく、海外でもひんぱんに発生しています。非常に残念なことですが、研究不正は「日常茶飯事」の出来事とさえいえるかもしれません。

文部科学省が決定・公表している「研究活動における不正行為《こうい》への対応等に関するガイドライン」（2014年）があります。その中で「不正行為」としては三つが挙げられています（三つの頭文字をとって「ＦＦＰ」とよく呼ばれます）。

①捏造《ねつぞう》（fabrication）：存在しないデータ、研究結果等を作成すること。

②改ざん（falsification）：研究資料・機器・過程を変更《へんこう》する操作を行い、データ、研究活動によって得られた結果等を真正でないものに加工すること。

③盗用《とうよう》（plagiarism）：他の研究者のアイデア、分析《ぶんせき》・解析《かいせき》方法、データ、研究結果、論文または用語を当該《とうがい》研究者の了解《りょうかい》または適切な表示なく流用すること。

また、ガイドライン上の「不正」とまではいえない「不適切」な行為として、同じ研究成果の重複発表、不適切なオーサーシップ（論文著者が適正に公表されない）などがあります。なお、内容が間違っていた論文は「不正」や「不適切」ではありません。査読（１２１ページ）付きのものであっても、正しくない論文はいくらでもあるのですから。

じつは、研究不正は「起こりやすい分野」と「起こりにくい分野」がかなり明確に分かれています。不正がすぐにばれてしまう分野、すなわち同じような実験が可能な分野では、あまり起こりません。また、あまり「お金」にからまない分野も起こりにくいです。天文学や素粒子《そりゅうし》の分野は、再現実験が可能で、お金にからまないので、不正が起こりにくいです（とはいえゼロではありません)。逆に不正が起こりやすいのは、薬の開発などお金にからむことが多い医学・薬学・生物学などの分野です。

不正が行われる動機としては、若い研究者が自分の評価を上げようとして安易に不正を働いてしまうものがあります。特に身分が不安定で、任期制のポストに就いている場合、任期内に成果を出そうという焦《あせ》りが不正につながるとされています。一方、教授クラスになると、研究費を獲得《かくとく》するためにインパクトのある論文が必要だと考えて、自分の思惑《おもわく》に沿うように研究データを捏造・改ざんすることが起こります。

私は以前、ある生物系の研究所で起こった研究不正事件について、それをなくす制度改革の検証委員会の委員を務めたことがあります。そこでわかったのは、不正をしていた教授は研究費を獲得するために、有名な学術誌へ論文を掲載《けいさい》し続けることに躍起《やっき》になっていたのです。そのため、助教や院生が自分の考えたストーリーに合わない実験結果を出してくると「もう一度やり直せ」と命じていました。実験結果がばらついた時には、自分のストーリーに合うデータだけを選んで論文をつくっていました。これはまさにデータの改ざんです。

さらにその教授は、院生たちが他の研究室の院生と科学の話をすることを禁じていました。

自分の研究内容が漏《も》れることを恐《おそ》れて、全部秘密にして守らなければならない、一切科学の話をしてはならぬという理屈《りくつ》でした。ですから院生たちは、他の研究室ではどんな内容の研究をどんなアプローチで行っているのか知らず、自分の研究室のやり方が「当然」で「絶対」だと信じ込《こ》まされていたのです。これは院生たちにとって、あまりに不幸なことでした。教授は当然、クビになりました。

不正の再発防止のために、実験の生データをコンピュータにきちんと保管しておくことなど、改善案を検証委員会として提案しました。しかし、それでは甘《あま》かったのかもしれません。数年後、同じ研究所の別の教授の研究室で、ふたたび研究不正が発覚したのです。結局、その研究所は組織体制が抜本《ばっぽん》的に改組され、名前も変えられました。

研究不正防止の取り組みとして、たとえば科研費の応募《おうぼ》の際に、倫理教育の受講（教材の通読・履修《りしゅう》）を課すといったことが行われています。一方で、大学などで研究者倫理の向上のための施策《しさく》を行っていないところも多く、改善が求められています。また海外では、研究データを公開することで研究の健全性を示そうという流れもあります。

科学者・研究者が自由な発想に基づいて自分の好きなことを研究できることと、自らを律して研究の健全性を確保することとは、表裏一体の関係にあります。ですからすべての科学者・研究者は、各人が、そして科学界・学術界全体で、研究倫理を高め、研究不正・不適切の防止に努める必要性を、強く自覚しなければなりません。

## 科学研究と平和について

もう一つお話ししたいのは、科学研究と平和の問題についてです。

「科学は諸刃《もろは》の剣《つるぎ》」という言葉があります。本来、科学は善悪のない、ニュートラルなものです。しかし、科学の成果を悪用すれば、私たちに大きな不幸をもたらします。

かつて科学者は「科学の成果がどう利用されるか」を意識せずに、自分の興味のおもむくままに自然現象を調べ、知的好奇《こうき》心《しん》を満たしてきました。その基本姿勢を大きく変えざるをえなくなったのは、核分裂《かくぶんれつ》反応の発見、そしてそれを兵器に利用した原爆《げんばく》・水爆の開発が原因です。75年前、燃焼反応に比べて１０００倍も大きなエネルギーを取り出せる核分裂反応を使い、世界初の核兵器・原子爆弾《ばくだん》がつくられ、広島と長崎に投下されました。そしてさらに強力な水素爆弾（熱核兵器）も開発され、アメリカと旧ソ連は核実験の競争を繰り広げました。人類は核戦争による自滅《じめつ》の危機に直面したのです。

危機感をおぼえたアインシュタイン博士は、イギリスの哲学《てつがく》者バートランド・ラッセル卿《きょう》と協力して「ラッセル－アインシュタイン宣言」を１９５５年に発表しました。核兵器の廃《はい》絶《ぜつ》を訴え、科学者は連帯して平和に対する社会的責任を果たそうと呼びかける内容でした。宣言には湯川秀樹先生など世界の第一線の科学者11人が署名しました。

しかし、核兵器は廃絶されるどころか、今や国家のみならず、大きなテロ組織であれば核兵器を持てる時代になっています。また、核兵器よりも恐ろしいとさえいわれる生物兵器（細菌兵器、ウイルス兵器）は、大学の研究室レベルで簡単に製造が可能です。したがって国家ではなく個人が全人類を滅ぼすことさえ可能なのです。

日本では、ラッセル－アインシュタイン宣言に先立つ１９５０年に「日本学術会議」が「戦争を目的とする科学の研究には絶対従わない決意の表明」を行いました。１９４９年に設立された日本学術会議は、日本の人文・社会科学、生命科学、理学・工学の全分野（現在約87万人）の科学者を代表する機関です。「政府に対する政策提言」「国際的な活動」「科学者間ネットワークの構築」「科学の役割についての世論啓発《けいはつ》」の４つが主な役割です。２１

0人の会員と約2000人の連携《れんけい》会員によって職務が担われ、私も会員や連携会員として6年間活動しました。

日本学術会議ではその後も、国際紛争《ふんそう》の平和的解決や原子力の平和利用に関する声明や、軍事目的の科学研究を行わない旨《むね》の声明をたびたび出してきました。それはつまり、学術と軍事の接近の動き、科学者を軍事研究に参加させようという動きが国内外にあって、それに抗議《こうぎ》・反対してきたことの現れでもあります。

近年では、防衛装備庁の「安全保障技術研究推進制度」（2015年度発足）をめぐる問題があります。将来の装備開発につなげるという明確な目的に沿って研究費の公募・審査が行われ、同庁内部の職員が研究中の進捗《しんちょく》管理を行うなど、政府による研究への介入《かいにゅう》が著しく、問題が多いとされたのです。日本学術会議は2017年に「軍事的安全保障研究に関する声明」を発表し、軍事目的のための科学研究を行わないとする従来の声明を継承《けいしょう》することを表明しました。これを受けて、各大学や研究機関でも軍事研究を行わない方針等を発表しています。

私は、軍事組織から出るお金を使って行う研究は、軍事組織の中でやってほしいと考えています。軍事組織に属する研究者が軍事のための科学研究を行うのは、それは当然でしょう。しかし、大学等で行われるのは純粋な学術研究・科学研究であり、そのための研究費は国がきちんと出してほしいのです。また大学等の研究者も、たとえ直接軍事研究につながらない基礎研究であっても軍事組織から研究費を受け取ることは避けるべきだと考えています。そうしないと、国の財政事情が厳しい中で、政府はそれをもって「基礎研究費は増加している」とみなし、科学研究費などを減額しかねないからです。

新しい学問である「進化心理学」によると、私たちは1万年前の狩猟《しゅりょう》採集時代の「古い心（心理メカニズム）」を持っているといいます。狩猟や採集では多くの人間を養える食料を安定して確保できないため、私たちの祖先は１００人程度の小さな集団で生活していました。その結果、私たちは家族やごく親しい仲間に対しては、互《たが》いに協力し、守り合う「社会性」を身につけてきました。同時に、集団外の人間に対しては、時に激しい攻撃《こうげき》性を示すことで、自分の集団を守り、発展させてきたのです。

約1万年前に農耕が発明されると、人類は急速に数を増やし、大きな集団で定住して生活するようになりました。その後も科学が発達し、産業社会が生まれ、今や約78億人が「隣《りん》人《じん》」として関わりを持ちながら地球上で暮らしています。しかし、私たちの心はわずか1万年では環境に適応して進化できず、狩猟採集時代の「古い心」のままです。古い心と、全人類を滅ぼせる「力」を持ち、小さな集団の利益だけを考えて争っている、それが私たち人類の現在の姿なのです。

今、私たちに必要なのは、陳腐《ちんぷ》な言い方ですが「人類愛」です。小さな集団での生活に適応した「古い心」を乗り越え、地球の裏側に住む人にも家族と同じ親愛の情を注げるようになるために、私たちに何ができるのか、何をすべきなのか——それが科学者にも、科学者でない人にも、問われていると思います。

# おわりに

## これから研究したいこと

　私は日本学術振興《しんこう》会・学術システム研究センター所長を２０２０年３月で退任し、センターの顧問《こもん》に退きました。センターを側面から支援《しえん》・助言する立場ですが、今しばらく日本の学術振興に寄与できればと思っています。新型コロナウイルス問題で、在宅でさまざまな会議などにもリモートで参加しています。

　この環境の中で、これからも興味を持ち、研究もやっていきたいことの一つは、インフレーション理論と「ダークエネルギー」の理論の関連の解明です。ダークエネルギーは、宇宙全体に満ちていると予想されている未知のエネルギーです。ダークエネルギーによって、現在の宇宙は、膨張《ぼうちょう》の速度が少しずつ速くなっていると考えられています。

　従来のビッグバン宇宙論では、インフレーションが終わったあと、宇宙の膨張速度は少しずつ遅《おそ》くなっている（減速膨張をしている）とされていました。ところが、宇宙はある時点から、膨張速度が逆に速くなっている（加速膨張をしている）ことが観測でわかったのです。

この大発見をしたアメリカとオーストラリアの3人の研究者（パールムッター、シュミット、リース）には２０１１年にノーベル物理学賞が贈《おく》られています。

宇宙の初期に起こったインフレーションも、膨張速度が倍々になっていく加速膨張です。でもインフレーションと現在の宇宙の加速膨張とでは、約１２０桁《けた》も膨張速度が違います。だから両者には全然関係がないようにも見えるのですが、私はどう見ても、どこか深いところでつながっていると思うのです。もちろん、そう考えている宇宙論の研究者は少なくありません。

宇宙の加速膨張の原因であるダークエネルギーの正体は、まったくわかっていません。現在、ハワイのすばる望遠鏡に取り付けるＰＦＳ（すばる超《ちょう》広視野分光器）という装置を開発し、それを使った研究が、カブリＩＰＭＵ（１４９ページ）の主導で進められようとしています。２０２０年に試験観測を、２０２２年に本格的観測を開始する予定です。過去の宇宙の膨張速度がどのように変化してきたのかをくわしく調べて、ダークエネルギーの正体に迫《せま》ろうというプロジェクトです。

ダークエネルギーは全宇宙に存在する物質やエネルギーの7割近くを占《し》めると考えられています。そんな「宇宙の主役」について、私たちはまだ何も知らないのです。ダークエネルギーの正体がわかり、過去のインフレーションとの関係が判明すれば、私たちはホーキングさんの夢である「宇宙の完全な理解」にまた一歩近づけるでしょう。

## 科学と科学者の「応援《おうえん》団」であり続けたい

ダークエネルギーについての研究を進めるのは、これからの私の「夢」です。とはいえ、歳《とし》をとった科学者としては、科学や若い科学者の「応援団」の一員として、研究環境《かんきょう》の改善などに寄与《きよ》することが、もっとも社会に貢献《こうけん》できる方法だと思っています。それは東大を退職して10年間やってきたことですので、今後も続けていきたいです。

現在、科学関係の団体のさまざまな理事や、政府関係の委員などを務めています。若いみなさんに直接関わるものとしては「子ども・宇宙・未来の会」、略称《りやくしょう》「ＫＵ－ＭＡ《くーま》」という団体の理事をしています。ＫＵ－ＭＡでは子どもたちに対して「宇宙の学校®」などの講習会を行ったり、広報活動をしたりしています。「宇宙の学校」は、いわゆる宇宙のことだけを学ぶ教室ではありません。身のまわりで起こることや、子どもたちがふしぎに思う現象など、一見宇宙とは関わりがない教材をプログラムにしています。また、プラネタリウムや科学展示室などがある「高松市こども未来館」の名誉《めいよ》館長もしています。

明星《めいせい》大学では学生のみなさんに集中講義をしています。またお茶の水女子大学では学長特別招聘《しょうへい》教授という肩書《かたがき》をいただいて、附属《ふぞく》中学の生徒にお話をすることがあります。民間の科学振興財団での仕事もあり、三菱《みつびし》財団の自然科学研究助成の選考委員長、井上科学振興財団の常務理事（非常勤）などを務めています。

## 好きなことを研究しよう！

科学者になりたいと思っている若いみなさんに、あらためてお伝えします。

自分が「ふしぎだな、おもしろいな」と思うことを、自由に研究してください。「そうなのか、わかったぞ！　もっと知りたいな！」という「知る喜び」にもとづいて、自分の好きなことを研究してください。それが自然科学の、そして社会科学や人文科学をふくめた「学術研究」の原動力なのです。

第1章のコラムで、自然科学（基《き》礎《そ》科学）は、その上に応用科学や科学技術が積み上がるピラミッドの一番下、土台の部分にあたるという話をしました。だから一見役に立たないように見える自然科学も大事である、自然科学は「桃《もも》の種」なんだ、ということです。でもそもそも、人間は科学や学術を「何かの役に立つ」から行っているわけではないと、私は思います。科学や学術は、人間の中にある「知りたいという飽《あ》くなき欲求」に基づいて行われているものなのです。

私たちは「知りたいという欲求」によって、新しい法則を発見したり、興味の対象を観測・観察・分析《ぶんせき》する方法を開発したり、新しい技術や知識を体系化したりしてきました。新たに得られた知識は、私たちにいっそう「知りたい」と思う知識欲をかき立てるのと同時に、私たちの「精神」に深い影響《えいきょう》を与《あた》えてきました。

たとえば宇宙１３８億年の歴史の果てに私たち人類が誕生したことを知れば、私たちの存在はなんと小さく、はかないものだろうと思います。同時に、その小さな人間の脳が、宇宙１３８億年の歴史のあらすじを明らかにできたことに、人間のすばらしさを感じることもできます。分子生物学など生命科学の発展は、私たちに「生命とは何か」「人間とは何か」という哲学《てつがく》的な問いを投げかけてくれます。

こうした思いや問いはやがて、人間の新しい「文化」をつくる礎《いしずえ》になると思います。科学や学術の営みそのものが文化だと言ってもいいでしょう。文化は芸術や文学などから生まれる精神的なものであり、「物質的な」科学からは遠い存在、相反するものだと思っている人がいるかもしれません。でも、それはまったく違います。科学の営みもまた、人間の精神に深く関わる大事な文化活動の一つなのです。

少し観念的な話になってしまいましたが、もしみなさんが「好きなことを研究したいけれど、こんな研究をしていていいのかな？」と思った時の参考にしてもらえればと思います。

最後に、科学者になりたい若いみなさんにこの言葉を贈ります。私が東大の大学院の入学式で祝辞を述べた際に、研究者の卵である若い方々にも贈った言葉です。

「意志あるところに道あり[＊1]（Where there is a will, there is a way.）」

科学者になりたいと思う意志があれば、いろいろな「道」があります。大学で研究者になっても、民間企業《きぎょう》で働いても、科学とは直接関係のない分野に進んでも、どれもすばらしい道です。そして「ふしぎだな、おもしろいな、知りたいな」という思いを持ち、その思いにしたがって行動すれば、みんな「科学者」なのだとも思います。

若いみなさんの将来の活躍《かつやく》を、心から願っています。

**＊1　意志あるところに道あり**｜アメリカのリンカーン大統領が演説に引用したことで知られていますが、彼自身が考えた言葉ではなく、当時の欧米でしばしば使われていた言い回しだったようです。

# あとがき

　現在、新型コロナウイルスの世界的感染（パンデミック）が続いています。いまや、全国のほとんどの大学の講義は、オンライン授業になっています。先日、私も明星大学で宇宙論の講義を、「Ｚｏｏｍ」というウェブ会議用ツールを用いて朝から夕刻まで３日間、集中して行いました。また、私の関係しているいくつかの学会や学術機関の会議も、ほとんどオンライン会議となってしまいました。

　このパンデミックのため、あらゆる科学研究においても、世界的に支障が生じています。例えば日本がハワイに設置したすばる望遠鏡も、ハワイ州が自宅待機令を出したことにより閉鎖《へいさ》されました。今は観測が段階的に再開されていますが、強い制限のもとでの観測で、宇宙の研究は減速したままです。

　いうまでもなく、このようなパンデミックに対応するためには科学的研究が不可欠です。直接役立つ新型コロナウイルスの治療薬《ちりょうやく》、感染防止のためのワクチンの開発研究はもちろんのことですが、その基礎となる生命科学の学術研究はさらに重要です。新型コロナウイルスの感染が収まっても、これからも異なったウイルスの感染は永遠に生じ続けるからです。

そもそもウイルスは、高等生物の遺伝子の一部が外部に飛び出したものとして生まれたものです。ウイルスは地球上の多様な生物の種を越《こ》えて遺伝情報を伝える役割もしており、感染して生命に害を与《あた》えるだけではなく、生命の進化にも寄与《きよ》しています。ウイルスを通して遺伝や進化のしくみや生命の本質を理解しようとする長期的学術研究は、厳しい感染期にあっても必要でしょう。そうした取り組みが、将来の新たなパンデミックを防ぐことにもつながるのです。

この本を手に取られたみなさんは、おそらく科学が大好きな方が多いでしょう。本書で何度も記したように、自分がふしぎだ、おもしろいなと思うことを研究するのが科学です。この本が、若い読者の方々が科学者を目指すのに役立ち、世界の研究をリードする科学者として成長していただけるならば、私の大きな喜びです。一方で、科学にそれほど興味がないという方にも、本書でそのおもしろさを感じていただき、科学研究とはどんなものかを知っていただければ、将来、文科系など他の分野に進まれようとも役立つでしょう。さらに、自分の将来の新しい道が見えてくるかもしれません。

それから、本書のタイトルは『科学者になりたい君へ』となっていますが、「君」とはけっして男性だけを指しているわけではありません。女性のみなさんにも、ぜひ本書を読んでいただき、科学者をめざしてほしいです。イギリスをはじめヨーロッパ諸国では、女性科学者の割合は40パーセントに迫《せま》ろうとしていますし、日本でも着実に女性科学者の割合が増加しています。私たちの人間社会は男女が平等に、ともに力を合わせることによって成り立っています。これからの日本の科学の発展のためには、男女共同参画は不可欠です。ほとんどの大学の教員公募《こうぼ》の時にも「本学では男女共同参画を推進しています。女性の積極的応募を歓迎《かんげい》します」と書かれていますし、時には女性に限る公募も出ています。

この本は私が、フリーランスの編集者である中村俊宏さんと河出書房新社の高野麻結子さんに、合計7回、12時間を超《こ》えてお話しした内容を、中村さんが文字に起こしたものをベースとして執筆《しっぴつ》したものです。高野さんにはこの本の執筆の機会をいただいただけでなく、内容を充実《じゅうじつ》させる貴重なアドバイスも多くいただきました。お二人のご協力なしでは、多忙《たぼう》な中でこの本を執筆することはできなかったでしょう。中村さん、高野さんに深く感謝いたします。

２０２０年９月

佐藤　勝彦

著者紹介

## 佐藤勝彦（さとう・かつひこ）

1945年生。京都大学大学院理学研究科物理学専攻博士課程修了。理学博士。東京大学名誉教授。自然科学研究機構機構長、日本学術振興会学術システム研究センター所長などを歴任し、現在は明星大学客員教授、日本学士院会員。専攻は宇宙論・宇宙物理学。「インフレーション理論」をアメリカのグースと独立に提唱、日本物理学会会長、国際天文学連合宇宙論委員会委員長を務めるなどその功績は世界的に知られる。主著に『宇宙論入門』（岩波新書）、『14歳からの宇宙論』（小社）、『眠れなくなる宇宙のはなし』（宝島社）ほか多数。

---

14歳の世渡り術

# 科学者になりたい君へ

2020年10月30日　初版発行
2021年　4月30日　2刷発行

著　者　佐藤勝彦

編集　中村俊宏
カバーイラスト　タケウマ
ブックデザイン　高木善彦（SLOW-LIGHT）

発行者　小野寺優
発行所　株式会社河出書房新社
〒151-0051　東京都渋谷区千駄ヶ谷2-32-2
電話　(03)3404-1201（営業）／(03)3404-8611（編集）
http://www.kawade.co.jp/

印刷　凸版印刷株式会社
製本　加藤製本株式会社

Printed in Japan
ISBN978-4-309-61725-1